Haciendo Lo imposible, a lo Posible

Por

Dr. Brian Prax, DC, CCSP, BCIM, CAFNI

D1534265

AVISOS LEGALES

La información contenida en este libro se basa en la investigación y la experiencia personal y profesional del autor. No pretende ser un sustituto para consultar con su proveedor de atención médica. Cualquier intento de diagnosticar y tratar una enfermedad debe hacerse bajo la dirección de un profesional de la salud.

El editor y el autor no abogan por el uso de ningún protocolo de atención médica en particular, pero cree que la información de este libro debe estar a disposición del público. El editor y el autor no son responsables de los efectos adversos o consecuencias resultantes del uso de las sugerencias, procedimientos, productos y servicios discutidos en este libro. En caso de que el lector tenga alguna pregunta sobre la idoneidad de cualquier procedimiento o producto mencionado, el autor y editor recomienda encarecidamente consultar con un asesor sanitario profesional. Estos son los Estados Unidos de América y nosotros como estadounidenses seremos libres de escribir y decir lo que elijamos. Le pedimos respetuosamente que reconozca que lo que está escrito en este libro está protegido por la Primera Enmienda de la Constitución de los Estados Unidos. Si no puede aceptar lo anterior, cierre este libro y no lea más. Su lectura continua es su reconocimiento y acuerdo para mantener inofensivo a todos de todo.

La información presentada en este documento representa la opinión del autor a partir de la fecha de publicación. Debido a la tarifa con la que cambian las condiciones, el autor se reserva el derecho de modificar y actualizar su opinión en función de las nuevas condiciones. Este libro es sólo con fines informativos. Si bien se ha hecho todo lo posible para verificar la información proporcionada en este libro, ni el autor ni sus afiliados/socios asumen ninguna responsabilidad por errores, inexactitudes u omisiones. Cualquier desaire de personas u organizaciones no es intencional.

Primera edición

Impreso en el U.S.A.

ISBN-13: 9798612316695

ISBN-10: 1974027910

TABLA DE CONTENIDO

PREFACIO

Estamos a dos décadas de la epidemia de enfermedades crónicas más extraordinaria en la historia de la humanidad y los Estados Unidos están liderando una carga total hasta el fondo del montón de resultados de salud. Recientemente ocupó el puesto 49 en el mundo para los resultados generales de salud, la salud de nuestra nación se está quedando ahora por detrás de naciones devastadas por la guerra como Croacia, y naciones en el mundo en desarrollo como Chile. Mientras tanto, los estadounidenses gastan más del doble del costo de atención médica per cápita de cualquier otro país desarrollado para lograr estos resultados sombríos.

A medida que este libro comienza, el Dr. Brian Prax establece la realidad extraordinaria de estas epidemias, e identifica con precisión muchas de las prácticas de estilo de vida de conveniencia que hemos adoptado en las últimas décadas que han diseñado el derrumbe de la salud en nuestros cuerpos y la de nuestra nación.

Cada uno de nosotros es ahora un grado de separación de un miembro de la familia o amigo cercano que está sufriendo una espiral de salud descendente prematura. A menudo observamos

con asombro, horror, y desesperanza mientras la salud se filtra fuera del cuerpo, mientras que los doctores, con toda nuestra educación, herramientas de diagnóstico, tecnologías de medicamentos y tratamientos, parecen incapaces de llevar adelante cualquier justificación de la causa fundamental para la aparición de estas epidemias, y muchos menos de cualquier solución significativa. Demasiados de nosotros estamos rebotando de especialista a especialista en busca de respuestas a nuestras frustraciones cada vez más desesperadas y desafíos de salud, nunca obteniendo una visión general de cómo llegamos al trastorno y la disfunción que estamos experimentando en nuestra salud o soluciones significativas cualesquiera para nuestras condiciones. El Doctor Prax viene al rescate aquí para ofrecer una imagen clara de causa-efecto de cómo nuestra salud ha disminuido. El adagio viejo de "sabiendo el problema es noventa por ciento de la batalla" es muy preciso aquí. Cuando identificamos los factores que nos han puesto en nuestro camino para declinar, es tan sencillo para identificar el camino opuesto hacia la salud y la curación.

La elección es, entonces, para que usted haga, ¿va a saltar los rieles en el camino de su declive para darse cuenta de un nuevo potencial y calidad de vida en los días y semanas por venir, o vas a descansar en el conocimiento y hacer esfuerzos escalonados hacia un cuerpo más saludable en los años venideros. Independientemente de su trayectoria, estoy seguro de que no será capaz de mantenerse en el curso de su camino de declive una vez que haya llegado a través de este libro.

Al recoger este libro, ya se ha identificado a usted mismo como alguien que busca nuevas respuestas a problemas a largo plazo, y la simplicidad de las respuestas esbozado por el Dr. Prax hace la oportunidad para la salud demasiado atractivo para resistir.

Como alguien que probablemente esté sufriendo de periferia neuropatía, probablemente has sido testigo el enfoque de "la curita" para el manejo de sus síntomas: medicamentos para el colesterol, medicamentos para la presión arterial, antiinflamatorios, medicamentos para el dolor, antidepresivos, medicamentos anticonvulsivos, y la lista se continúa. Cada clase de drogas lleva su propia carga de efectos secundarios que reflejan la forma en que estos agentes farmacéuticos socavan la biología que necesitamos la mayoría del apoyo cuando el bienestar comienza a deteriorarse.

El Dr. Prax nos describe aquí un enfoque gradual para apoyar elementos múltiples del proceso de curación para los nervios de tu cuerpo, un plan para revertir tu condición en la raíz de su origen. Habiendo practicado integrativa medicina junto con la clínica quiropráctica de la familia Prax durante años, he sido testigo de primera mano del poder del enfoque multimodal que emplea el Dr. Prax. Como toda curación efectiva, es más exitosa y rápida cuando un problema se aborda desde ángulos múltiples. De esta manera, este libro es una ventanilla única para algunos de las prácticas, tecnologías y estilos de vida más eficaces,suplementos para apoyar y acelerar la recuperación de su salud.

Si su problema de salud se detuvo con usted, no hay una sensación de urgencia que el Dr. Prax y yo sentimos acerca de sus esfuerzos. La realidad es que cada próxima generación desde la década de 1960 muestra una carga creciente de enfermedades crónicas, y la aparición de estas afecciones ocurre a una edad más temprana con cada una de estas generaciones. Estamos en camino de tener uno de cada tres niños con un déficit neurológico hacia el año 2035, y los 17 años que tenemos antes de alcanzar este estado de enfermedad incapacitante en los niños de nuestra nación pasarán volando.

Los esfuerzos que realiza para revertir su condición y aprovechar su potencial de curación no solo son una victoria para su vida y bienestar, sino que pueden ser un epicentro de cambio y educación para toda su familia y comunidad en todo su Como tal, espero sinceramente que los siguientes capítulos le brinden los medios para tomar los pasos necesarios para cambiar la vida que vive hoy y el futuro que puede crear para usted y para aquellos que os gusta.

Buena suerte/ en salud y curación,

Zach Bush, MD

Medicina interna, endocrinología y metabolismo, y cuidados paliativos

CAPÍTULO 1

Mi Historia

Gracias por recoger este libro sobre cómo revertir la neuropatía periférica. Soy Dr. Brian Prax y he estado practicando medicina holística y funcional desde 1996, cuando obtuve mi título de Doctor de Quiropráctica de Life Chiropractic College West en California. Mi esposa, una quiropráctica pediátrica holística, y yo, junto con nuestros cuatro hijos, hemos vivido en Charlottesville, Virginia desde 2005.

Con mi sistema probado de neuropatía, es posible que puedas revertir tu neuropatía. Esta es la realidad: TOMA TRABAJO. No dejes que el título te engañe. Revertir la neuropatía periférica no es fácil, pero ES POSIBLE. No dejes que tus doctores, terapeutas, vecinos, familiares, amigos, u otros detractores te digan lo contrario.

Hablando de detractores, permítanme sacar algo de inmediato. A menudo, cuando mi esposa o mis empleados me presentan como "Doctor Brian Prax", a menudo obtengo la pregunta de seguimiento; "Oh, usted es un doctor, ¿qué tipo de doctor eres -es?"

"Soy un doctor" O "!"

"¿Un doctor' de O? ", ¿Qué clase de doctor es ese?

Me detengo estratégicamente y luego...."Soy un.......¡QUI-

RO-PRÁC-TOR!"". "¡Ohhhhh!" ellos exclaman como para decir : "uno de AQUEEEEELLAS tipos de doctores".

Aparte de las bromas, hay tantos conceptos erróneos sobre los quiroprácticos que pensé que debería discutir. A lo largo de los años, hemos sido etiquetados como cuáqueros, charlatanes, vendedores de aceite de serpiente y más. Parece que somos los hijastros pelirrojos de la medicina occidental. Las Cenicientas si quieres. A menudo, tendré un paciente que consulto diciendo: "Bueno, eso suena bien, pero lo consultaré con mi médico 'real'". O, "Me gusaría ver qué dice mi médico 'regular' al respecto."

Solía ser insultado por estos comentarios. ¡Pensaríamos que los médicos quiroprácticos han recibido nuestro doctorado de una caja de Cracker Jack®! Hoy, sin embargo, tengo una perspectiva diferente. Supongo que más de 20 años de tomar este abuso me endurecieron, como la fragua/forja de metal.

Solía tomarme el tiempo para explicar que los quiroprácticos, como los médicos, tienen una educación y capacitación muy rigurosas. Tenemos vistas clínicos, juntas médicas estatales y nacionales que tenemos que pasar también.

Tenemos más, mucho más, capacitación sobre cosas naturales como nutrición, ejercicio y, por supuesto, ajuste quiropráctico que nuestros colegas doctores, mientras que tienen más capacitación en las recetas y cirugía.

Solía hacerlo, eso es. Hasta que salió la verdad. Sucedió por primera vez en el año 2000. Y sucedió en una de las revistas más reconocidas y respetadas de la profesión médica, nada menos que el Journal of the American Medical Association.. La autora, la Dra. Barbara Starfield, doctora médica con una maestría en salud pública, afirmó inequívocamente que la medicina es la tercera causa de muerte en los Estados Unidos. Sí, lo leíste bien. LA MEDICINA ES LA TERCERA CAUSA DE MUERTE EN LOS ESTADOS UNIDOS.

Sacudió el mundo quiropráctico. Todos estábamos emocionados... finalmente nuestro avance había llegado. Por último, brillaríamos como la alternativa natural al campo de la medicina. Habíamos estado diciendo durante décadas, que se remontan a nuestro fundador, D. D. Palmer, en 1895 que la medicina es peligrosa y un asesino. Una terapia que vale la pena, sin duda, para emergencias y casos potencialmente mortales, pero una terapia peligrosa para todas las cosas relacionadas con la curación y el bienestar.

Nuestra gracia salvadora, sin embargo, cayó en oídos sordos. Nos preguntamos por qué CNN, Fox, NBC, ABC y las otras cadenas no hicieron un gran espectáculo sobre este escándalo. Qué historia, razonamos.

¡Sensacional! Entonces nos di cuenta. Esos canales y otros son propiedad de la gigantesca industria farmacéutica y hay mucho dinero para hacer en la venta de sus productos - medicamentos.

Piénsalo. Prende la televisión,el radio y abrir un periódico y echar un vistazo a los anuncios. Verás los anuncios de autos, seguro, pero más a menudo que esos serán anuncios de drogas. La enfermedad también, cuando te das cuenta de que los grandes Estados Unidos son el único país en todo el mundo (excepto Nueva Zelanda) que comercializa directamente a los consumidores. Todos los demás países lo prohíben. "Pregúntele a su doctor si Lyrica es adecuado para usted!"

Sorprendentemente, los grupos de presión no han sido capaces de presionar al Congreso para que deje de obligarlos a declarar efectos secundarios comunes como "ardor, hormigueo y entumecimiento en las extremidades, convulsiones y muerte", en sus anuncios. Un comercial que acabo de escuchar en Internet pasó 20 segundos en lo bien que te sentirías tomando su medicamento y los 40 segundas restantes en todos los horribles efectos secundarios que debe consultar a su doctor. No es de extrañar, aunque más artículos de investigación de fuentes muy creíbles continuaron apareciendo. Un libro, *Death By Medicine*, escrito por un MD y 3 recipientes de un Ph.D . salió en 2010 y declaró que, cuando realmente miras todas las estadísticas, la medicina es LA CAUSA NÚMERA UNA DE MUERTE EN LOS ESTADOS UNIDOS.

Sin embargo, otro artículo de investigación escrito por dos doctores médicos con un título de MD , profesores de cirugía y olítica de salud y gestión en la escuela de medicina de Johns Hopkins, y publicado en el respetable

BJM (British Medical Journal), declaró que los errores doctores son la tercera causa de muerte en América. Fue publicado en mayo de 2016. Según los investigadores, el sistema de codificación utilizado por el CDC para registrar los datos del certificado de defunción no captura cosas como averías de comunicación, errores de diagnóstico y mal juicio que cuestan vidas, dice el estudio. Para ser claros, estos "errores medicales" no tienen en cuenta a los pacientes que entran en la sala de emergencias colgados de la vida por un hilo y luego mueren bajo el cuidado de un doctor. Son errores.

Si la medicina es la primera o la tercera causa de muerte no importa realmente, ¿verdad? Podemos dejar que las investigaciones lo derroquen en eso, pero todos podemos estar de acuerdo en que un método de curación ni siquiera debería estar en la lista de asesinos, ¿verdad? Si esto es lo que significa ser un doctor "real" o "regular", no quiero ser parte de esto. De verdad, para mi, no pasa nada de ser tu doctor 'irreal', o aunque tu doctor 'irregular'.

Tengo el Mejor Doctor del Mundo

No puedo decirte cuántas veces he oído a un nuevo paciente decir que consultaron con "el mejor neurólogo" o "el cirujano número 1 del país". Mi pregunta para ellos siempre es la siguiente: "Si su doctor es tan bueno, ¿por qué está aquí consultando conmigo?" Claramente, incluso los mejores medicamentos y los doctores no pueden ofrecer maneras de revertir ciertas condiciones como la neuropatía periférica.

Es por eso que he hecho de condiciones crónicas como la neuropatía periférica mi máxima prioridad para dominar y aprender todo lo que puedo, más allá de la medicina, para mejorarlos e incluso revertirlos. Sé que incluso después de leer este libro, todavía habrá ingenuos que se aferran al viejo dogma de "no se puede hacer" o "nada puede ayudar a la neuropatía" o "sólo vas a tener que aprender a vivir con ella". Sólo tienes que pensar diferente.

Me encanta la famosa cita de Albert Einstein: "Ningún problema se puede resolver desde el mismo nivel de conciencia que lo creó". Por lo tanto, es posible que tenga que incorporar el famoso eslogan de Apple; "Piensa diferente."

Si ya ha agotado su disposición a probar lo que la medicina tradicional tiene para ofrecer para su condición, ha recogido el libro correcto. En las páginas siguientes, aprenderás cómo conseguiste dónde estás y cómo revertirlo. He descubierto que típicamente el rompecabezas de la neuropatía consiste de muchas piezas. Algunos tendrán suerte y encontraron la única pieza, como las vitaminas de grupo B que a menudo se venden por el Internet. Otros pueden encontrar de accidente una dieta que literalmente podría resolver el problema, pero para la mayoría, he encontrado que debemos juntar TODAS las piezas de neuropatía para sanar completamente esta condición debilitante.

Una cosa que puedo prometerte sin embargo es esto: NUNCA serás capaz de medicarse a sí mismo fuera de la neuropatía. Medicamentos como Gabapentina (nombre comercial común es Neurontin), Lyrica (Pregabalina) o Amitriptilina (Elavil) sólo enmascaran el dolor en el mejor de los casos. En el peor de los casos, no ayudan con el dolor y crean efectos secundarios que son tan malos, el usuario termina en una condición peor.

Por cierto, ¿sabías que los estadounidenses consumen más del 75% de todos los medicamentos del mundo?! ¡Es una gran revelación, especialmente si consideras que sólo constituimos el 5% de la población mundial! ¿Qué hay de esta estadística? Los estadounidenses pagan mucho más por la llamada "atención médica" que casi cualquier otra nación en el mundo ($9403 en 2014 y subiendo), sin embargo, estamos clasificados en el puesto 50 de 55 naciones por un Bloomberg Healthcare Efficiency Index reciente. Si nuestro sistema doctor realmente trabajó para arreglar condiciones como la neuropatía periférica, seríamos la nación más saludable del mundo, no el quincuagésimo.

Por lo tanto, si usted está buscando algo diferente, si estás enfermo y cansado de la paradigma de la medicina occidental de 'drogas y cortar', entonces has llegado al propio lugar. Mi programa de inversión de la neuropatía tiene una tasa de éxito de 85%. Apuesto que estás preguntando ¿cómo es posible? Déjame explicarte ...

Primero, necesito definir el "éxito". Para mí, eso significa que entre un 60% y un 100% mejor basado en la evaluación del paciente. Para otros, es posible que debas establecer expectativas realistas. Si su condición está tan avanzada que apenas puede sentir sus pies o manos, tal vez "éxito" significa poder dormir toda la noche sin ser despertado por hormigueo o dolor.

Para otros, podría significar que el dolor ardiente en los pies es 25% mejor. En segundo lugar, debes saber que no todos los casos de neuropatía responderán a las terapias naturales que discutiremos en este libro. Algunas personas no mejorarán porque su condición está tan deteriorada, es irreversible.

A veces un caso es demasiado avanzado - hay demasiado daño para esperar incluso la menor cantidad de recuperación.

Algunos casos necesitarán otras terapias – sí, tal vez incluso medicamentos o cirugía. Algunos de ustedes pueden tener condiciones como esclerosis múltiple, síndrome de Guillain Barré, poliomielitis u otras afecciones (que aún no se han descubierto) que complicar o causar su neuropatía. ¿Se pueden arreglar? Sólo depende de cómo ha progresando su condición, pero nunca te rindes.Tirar la toalla nunca cambiará una sola cosa. Lo sabemos con seguridad. Incluso si usted siguió los protocolos de neuropatía discutidos en este libro y, en los peores de casos, no se pone mejor, su cuerpo entero será más saludable y sin efectos secundarios negativos. Es una situación en la que todos ganan. .

Espero que esto se haya dado una idea de quién soy y cómo apasionado estoy sobre ayudarte a revertir esta condición debilitante. Soy muy franco, hasta el punto, honesto, realista y transparente. ¿Quieres ver si este programa puede ayudarte? ¡Entonces sigue leyendo! Mantenga una mente abierta, tome buenas notas y siga las recomendaciones.

CAPÍTULO 2

¿ Quién Tiene La Culpa Para La Crisis De Salud En América?

Caso práctico

Mary S (77 años) vino a mi consultorio quejándose de síndrome del túnel carpiano (entumecimiento y debilidad en sus manos), dolor lumbar, ciática, dolor de cadera e insomnio severo. "Mis dedos estaban entumecidos y mis piernas tenían ciática--Todos me mantenían despierta toda la noche. Fue solo dolor y dolor. Seguí el programa con una dieta realmente saludable. Es más, como un estilo de vida. Está mirando lo que puse en mi boca: estoy comiendo comida humana verdadera. He perdido 7 libras en aproximadamente 4 semanas. Estoy más alerta. No estoy teniendo mis problemas gastrointestinales. A las 6 semanas en el programa de 12 semanas, me siento un 50% mejor. Estoy realmente satisfecha con mi progreso. ¡Yo necesitaba ayuda! Podemos regenerar la actividad nerviosa. La mayoría de la gente no lo sabe. Sus doctores no les dicen lo que es posible porque ni siquiera lo saben ".

Al final de su programa estaba llamando a la oficina para decirnos con entusiasmo a mis empleados y a mí que no solo había tenido una, sino 2 noches de sueño sin dolor por primera vez en mucho tiempo. Sus medicamentos se habían reducido, su equilibrio había mejorado y su dolor lumbar inferior era un 75% mejor. Creo que ella lo resumió mejor con esta declaración. "¡Súper, súper, súper! ¡El mejor! ¡Diez estrellas!

La gente tiende a pensar en la crisis de salud actual en los Estados Unidos como una crisis de seguro de salud. Los dedos han sido señalados a muchos partidos para la situación actual:

- El gobierno, por la falta de un seguro de salud universal y asequible.
- Empresas farmacéuticas, por el precio creciente de los medicamentos recetados.
- Industria de la asistencia médica, para prácticas de atención médica administradas malas.
- Industria alimentaria, porque las personas de bajos ingresos están prácticamente obligadas a comprar alimentos baratos, altamente procesados y no saludables.

Aunque cada una de estas partes tiene la metida la mano en la perpetuación de la crisis, ninguna de ellas es la causa verdadera. La razón verdadera para la crisis de la asistencia médica es la elección y estilo de vida mal de cada individuo, principalmente en las áreas de alimentación, ejercicio y manejo del estrés. Esto lleva a problemas relacionados con la salud como cáncer, cardiopatía, síndrome metabólico, apoplejía, diabetes, y mucho más.

Nos guste o no, cada uno de nosotros debe asumir la responsabilidad personal de nuestra salud. Esto significa educarnos sobre las decisiones que harán un cambio positivo para nosotros y para aquellos que amamos.

El mayor problema de salud es realmente grande

Tal vez el mayor problema de salud en los Estados Unidos es la obesidad. De hecho, está en proporciones epidémicas. Considere estas estadísticas:

- Entre los estadounidenses de una edad de 20 años o más, 154,7 millones tienen sobrepeso u obesidad.2
- Recientemente, el número de personas obesas ha superado en número a las personas con sobrepeso.
- Más de dos tercios (68,8 por ciento) de los adultos tienen sobrepeso u obesidad.
- Más de un tercio (35,7 por ciento) de los adultos se consideran obesos.3
- Se asocian l 18% de las muertes en los Estados Unidos con la obesidad. Estas muertes se derivan principalmente de diabetes tipo 2, hipertensión, cardiopatía, enfermedad hepática, cáncer, demencia y depresión.

¿Cómo se hizo tan grande el problema de la obesidad?

A principios del siglo XX, la dieta estadounidense era completamente diferente de lo que es hoy en día. Si pudieras saltar en una máquina del tiempo y asomarse a los estantes de la tienda local que tus abuelos compraron, encontrarás productos, plantas vivas, semillas y granos. Un paseo rápido al carnicero local y encontrarías toda la carne. 20

pollo, pavo y más son naturales, frescas, orgánicas, criadas en hierba, alimentados con hierba

... oh, y todo sería local. Hoy en día, usted tiene que ser un científico de alimentos para saber lo que los alimentos "correctos" son para comprar. Esto es lo que encontrarás en las tiendas de comestibles modernas:

- Carnes inyectadas con hormonas
- Alimentos altamente refinados y almidonados
- Alimentos procesados
- Comidas rápidas
- Comida chatarra
- azúcar, azúcar y más azúcar

Con estas opciones de alimentos "modernos" viene una dieta completamente diferente - "La dieta estándar americana ", también conocido como S.A.D. Los alimentos que se encuentran en la dieta S.A.D. están completamente desequilibrados.

Increíblemente, miles de millones de dólares se han

gastado en varios estudios en una búsqueda para encontrar las causas y soluciones para la obesidad. Pero la verdadera respuesta es sentarse a la vista en los hogares de todo Estados Unidos: específicamente, en las cocinas y en los sofás.

La respuesta a la crisis de la obesidad y la crisis de la asistencia médica en general es simple: volver a una dieta más natural rica en frutas y verduras frescas, carnes sin procesar, frutos secos, semillas, grasas buenas y fibra, evitando los alimentos procesados (y siendo activos todos los días). ¿Sabes cómo llamo a esto? Una dieta humana normal. Esta es una gran regla de oro– si Dios, o la naturaleza, hizo la comida, probablemente va a ser bueno para usted. Si el hombre o la industria alimentaria jugaron con la comida de la naturaleza o hicieron su propio producto de alimentos, ¡ES MAL PARA USTED!

Tratando de hacer que la comida perfecta sea mejor

Las empresas alimentarias trabajan incansablemente para mejorar los alimentos perfectos de la naturaleza refinándolos y procesándolos y añadiendoles productos químicos dentro de ellos. Estos productos alimentarios están cargados con sal adicional, azúcar, sabores artificiales, conservantes y otros productos químicos. También faltan nutrientes vitales y vitaminas que se eliminan durante el procesamiento. Esta suma y resta de nuestros alimentos es una receta para el desastre y la obesidad. Todo este retoque ha creado una dieta americana que es alta en calorías y, al mismo tiempo, deficiente en nutrientes - esta es la receta perfecta para la obesidad. Es realmente una paradoja cómo la mayoría de nosotros come demasiadas calorías y, al mismo tiempo, estamos hambrientos y desnutridos. Cuando nuestros cuerpos no están recibiendo suficiente vitaminas, minerales y otros nutrientes necesarios que apoyan la vida que necesitamos para prosperar, ¡seguimos recibiendo señales del cerebro para comer más! Por lo tanto, comemos más de esas calorías vacías y seguimos engordando y engordando y más enfermo.

Cortando esquinas

Entonces, ¿por qué la industria alimentaria pasa por todos los problemas y gastos de agregar todas estas cosas antinaturales a nuestra comida... ¿No sería más caro? En una palabra, la respuesta es... Dinero. Sí, todo se trata del dinero.

Tomemos la carne como ejemplo. Lo ves, la tierra en la que pastan el ganado, los pollos, los cerdos, y otros animales es cara y para hacerlo bien, cada animal necesita una cierta cantidad de tierra, y es mucho más de lo que crees. Si pones demasiadas vacas en una pastura y van a mordisquear esa hierba hasta la tierra, dejándola infértil. La lluvia y el viento erosionarán la tierra por lo que no es adecuado para el cultivo de hierba. Sin hierba significa que no hay animales, ¿entiendes? Entonces, ¿qué debe hacer el ranchero? Tienes que ganar dinero, ¿verdad? Quiero decir, estás en el negocio después de todo.

Bueno, ¿quién necesita toda esa tierra cara, con el cuidado y la reparación constante de las cercas, juntando su rebaño y todo eso? ¿Por qué no construimos establos grandes y alimentamos a todas las vacas en un solo lugar? Mucho más eficiente, ¿sí? Pero hay un problema. Que muchas vacas bajo un mismo techo es un caldo de cultivo para la enfermedad. Pero no es cuando puedes poner antibióticos en su comida. Y, mientras estamos en ello, vamos a poner en algunas hormonas de crecimiento y esteroides para hacerlos crecer más rápido. Las rancheros son pagados por la libra, no por la calidad de la carne. Por lo tanto, cuanto más rápido pueda llevarlos al mercado, lo más dinero puedes ganar..

Es más o menos lo mismo para todos los demás animales también. Los cerdos, ovejas, pollos, pavos e incluso pescado (sabías que hoy en día aproximadamente la mitad de los mariscos del mundo provienen de piscifactorías, lo que significa que se mantienen en grandes jaulas, granos alimentados, legumbres, antibióticos e incluso pesticidas). ¿Qué crees que le pasa a un animal cuando no se alimenta de su dieta normal? Bueno, es lo mismo para las vacas y los peces que para los humanos. ¡Todos nos enfermamos! Todos podemos *sobrevivir* con estas sustancias, pero no podemos *prosperar*.

Sugar Blues

Sugar Blues un libro de William Dufty que fue publicado en 1975. Un superventas, Dufty entra en detalle sobre la historia del azúcar. Considéralo de su libro.

El estado del azúcar, como producto de la refinación, se comparó con las drogas:

> La heroína no es más que un químico. Toman el jugo de la amapola y lo refinan en opio y luego lo refinan a morfina y finalmente a heroína. El azúcar no es más que un químico. Toman el jugo de la caña o la remolacha y luego lo refinan a la melaza y luego lo refinan al azúcar morena y finalmente a cristales blancos extraños.5

El americano promedio consume 150 LIBRAS de azúcar cada año, en comparación con sólo dos libras consumidas en promedio en el año 1700. Eso es 75 veces más!6 Simplemente no estamos diseñados para comer tanto azúcar.

Azúcar Oculto

A menudo les digo a mis pacientes que debemos buscar todas las formas de azúcar, las formas obvias y ocultas. Yo digo, "No es lo que está en tu plato que es el problema principal, sino lo que tu cuerpo hace con lo que está en tu plato". Consideramos el pan por ejemplo, incluso el pan de grano entero que se nos dice es tan saludable para nosotros. Como otro alimento refinado, los granos, como el trigo a menudo se convertirán en azúcar en la sangre más rápido que el azúcar de mesa en sí.

Nivel de glucosa

El "índice glucémico" (IG) representa el aumento del nivel de azúcar en sangre de una persona dos horas después del consumo de los alimentos. Básicamente, mide cuánto se convierte un alimento en azúcar en la sangre, también conocido como glucosa. La glucosa en el IG está clasificada en una escala de 0 a 100, así que comparemos:

El azúcar de mesa tiene una índice glucémicode 65 y se considera "medio" en la lista (56-69) y acabamos de discutir lo malo que es el azúcar para usted, pero reflexione sobre estos otros alimentos comúnmente comidos (y en muchos casos "alimentos básicos " de la S.A.D.).

Azúcar de mesa	65	Macarrones con Queso (Kraft®)	64
Corn Flakes®	81	Galletas de soda	74
Grape Nuts®	75	Galletas Graham	74
Avena instantánea, promedio 79		Arroz blanco hervido	72
Bagel promedio	72	Cuscús	65
Aunt Jemimah® gofres	76	Maní M & M'S®	33
Pan de hamburguesa, promedio	61	Fruit Roll-ups®	99
Pan blanco	75	Cóctel de jugo de Arándano	68
Pan integral	69	Coca-cola®	63
Papas rojiza al horno	111	Gatorade®, Sabor a naranja	89

Ahora, eche otro vistazo a esos números y compárelos con la índice glucémico del azúcar. Muchos de los mismos alimentos que se nos dicen son tan "saludables para el corazón" o "digestivos sanos" (pan de trigo integral, avena, arroz) en realidad se convierten en más azúcar en la sangre que azúcar de mesa en sí. "¿Cómo podría ser eso?" ¿Preguntas? Gran pregunta. Aquí hay un poco de química. Todos los alimentos deben dividirse en sus moléculas más simples para que el cuerpo haga las cosas. Se descomponen en aminoácidos, ácidos grasos, o glucosa. Así que, aquí está el mensaje de llevar a casa. Lo importante no es lo que hay en nuestro plato, sino lo que hace tu cuerpo con lo que hay en tu plato.

Afortunadamente, nuestro cuerpo tiene un mecanismo para lidiar con todo este azúcar y se llama insulina. Es una hormona producida por el páncreas. Cuando el cerebro detecta altos niveles de glucosa en sangre (porque acabas de comer un par de tostadas de trigo integral), indica al páncreas que libere insulina.la insulina básicamente elimina la glucosa de la sangre, llevándola de vuelta a un nivel óptimo.

Dado que la glucosa es una forma de energía, el cuerpo no quiere deshacerse de ella, por lo que la almacena para su uso posterior... Aquí está el pateador. ¿Dónde crees que lo almacena el cuerpo? Si dijiste "gordo", entonces tenías razón. Literalmente convierte el azúcar en la sangre en células grasas y los empaqueta por todo el cuerpo. Por lo tanto, cuando hay una hambruna, o se salta una comida o dos, tiene energía lista para usar.

Ahí está nuestro problema de obesidad en los Estados Unidos. Comemos demasiado azúcar y demasiados alimentos que se convierten en azúcar. La harina y los productos de cereales proporcionaron más calorías por día para el estadounidense promedio que cualquier otro grupo de alimentos en 2010. La fruta, verdura, y productos lácticos proporcionaron una pequeña proporción de calorías por día para el estadounidense promedio. Un cuerpo sano necesita una dieta rica en vitaminas, minerales, enzimas y antioxidantes. Es la mejor manera de asegurarse de que su cuerpo puede digerir correctamente los alimentos, absorber nutrientes, regular la función celular y mantener su cuerpo alimentado.

Cuando su cuerpo no tiene los nutrientes que necesita, el proceso de envejecimiento se acelera. El envejecimiento no sólo significa canas y arrugas – estamos hablando de todas las enfermedades asociadas con el envejecimiento, como:

- Enfermedad coronaria (CHD, en inglés): Alrededor de 610.000 personas mueren de enfermedades cardíacas en los Estados Unidos cada año, es decir, 1 de cada 4 muertes.7
- Las enfermedades cardíacas cuestan a los Estados Unidos alrededor de 207 mil millones de dólares cada año. Este total incluye el valor de los servicios de atención médica, medicamentos y la pérdida de productividad.8
- Derrame cerebral: En 2016, los derrames cerebrales causaron una de cada 20 muertes en los Estados Unidos. En promedio, cada 40 segundos, alguien en los Estados Unidos tiene un derrame cerebral. Cada cuatro minutos, alguien muere de un derrame cerebral.9
- Hipertensión: Alrededor de 75 millones de adultos estadounidenses (29%) tienen presión arterial alta, es a uno de cada tres adultos.10

- Cáncer: En 2012, había aproximadamente 13,7 millones de estadounidenses con antecedentes de cáncer. Algunos de estos hombres y mujeres estaban libres de cáncer y otros todavía tenían evidencia de cáncer y podrían estar en tratamiento. En 2013, hubo se esperaba que sean 1.660.290 nuevos casos de cáncer.11

- Osteoporosis: más de 53 millones de personas ya tienen osteoporosis o están en riesgo debido a la masa ósea baja, lo que los pone en riesgo de pérdida ósea más grave y fracturas.12

- Diabetes: Los datos de la hoja informativa del CDC en el año 2014 establecen que 29 millones de personas en los Estados Unidos (9,3%) tienen diabetes. Otros 86 millones de adultos, más de uno de cada tres adultos estadounidenses, tienen prediabetes 13). El costo total de la diabetes diagnosticada en los Estados Unidos en 2012 fue de $245 mil millones.14

- Neuropatía periférica: La dieta inadecuada es un componente importante de todos los tipos de neuropatía.

En 2016, se informó que los Estados Unidos gastan más de diez mil dólares por persona en atención médica.15 Es difícil creer que haya personas muriendo de una dieta inadecuada en los Estados Unidos cuando hay un excedente de alimentos, pero es cierto y , según los "expertos", parece haber pocas esperanzas de revertir la tendencia.

Teniendo en cuenta que estamos en el puesto 50 de 55 naciones en el ruedo de la atención médica, algo está mal. Sostengo que nuestro enfoque de la salud es el problema. ¿Qué pasa si realmente apoyamos estilos de vida saludables en lugar de simplemente tratar los síntomas asociados con una pérdida de salud?16

A la gente le gusta pensar que la medicina moderna es la respuesta a la crisis de atención médica. Pero los expertos en el campo de la medicina se dan cuenta de que a pesar del uso de tecnología, no ha habido disminución en la crisis de salud. La verdadera respuesta no se basa en el tratamiento de los síntomas, sino en la prevención de enfermedades y la promoción de la salud.

Una de las mejores formas de prevenir enfermedades es vivir un estilo de vida saludable. Para muchas personas, comprender lo que constituye un estilo de vida saludable es desalentador. Otras personas saben exactamente lo que significa "vida saludable", pero no están dispuestas a comprometerse a hacer los cambios necesarios en el estilo de vida. Comprometerse con opciones como estas simplemente parece una molestia:

1. Come bien: patea la dieta de S.A.D. fuera de su vida y reemplácela con una dieta llena de frutas y verduras frescas, carnes magras, grasas saludables y pescado.

2. Ejercítese bien: ejercitarse solo 30 minutos tres veces por semana promoverá la salud del corazón, lo ayudará a perder peso al aumentar su metabolismo, desarrollar huesos fuertes,

estimular su sistema inmunológico y estimular su sistema nervioso.

3. Duerma bien: la mayoría de las reparaciones celulares y la asimilación de la memoria ocurren durante el sueño. La mayoría de las personas necesitan de siete a ocho horas de sueño cada noche para funcionar de la mejor manera.

4. Vive bien: créalo o no, la bondad y el amor, además de tener un conjunto de principios para guiar tu vida, te ayudarán a estar más saludable y a vivir más tiempo.

Salud óptima del sistema nervioso – Todo lo que sucede en nuestro cuerpo comienza con el sistema nervioso. Desmontar el cuerpo de obstrucciones en el sistema nervioso puede ayudarte a alcanzar todo tu potencial.

Las buenas noticias y las malas noticias

Permítanme ser franco. Para la mayoría de las neuropatías, USTED tiene la culpa. USTED se llevó a donde está en este mismo momento basado en lo que USTED se ha hecho a sí mismo a lo largo de su vida. Usted decidió qué alimentarse. USTED decidió cómo responder a enfermedades o lesiones. USTED decidió hacer ejercicio regularmente o no en absoluto. La carga de lograr una buena salud recae directamente sobre sus propios hombros. Esas son las malas noticias... pero también, es la buena noticia.

Ya que estás donde estás en base a lo que has hecho, entonces puedes tomar nuevas decisiones, AHORA

DERECHO, y obtener resultados diferentes. La buena noticia es que su cuerpo es un ser maravilloso que puede sanar. Si no te gusta dónde estás y puedes tragarte la pastilla que lo creaste, ¡puedes cambiar lo que has estado recibiendo!

No puedes confiar en que otros estén atentos a tu salud. Estoy seguro de que su doctor es un gran tipo o una chica, pero nunca puede preocuparse más por ti que tú. Tienes que ser tu mejor defensor por ti mismo. No se puede encontrar una buena salud en la oficina del médico o en la farmacia. Usted nunca será capaz de medicar su camino fuera de la neuropatía periférica- sabemos ésto de hecho.

Las recetas en su mayor parte, solo cubre sus síntomas. No encontrarás buena salud en los pasillos de comida antinaturales de la tienda de comestibles o en restaurantes de comida rápida. La buena salud solo se puede encontrar cuando te comprometes a un estilo de vida saludable.

Cuidando de su cuerpo ahora, aprendiendo todo lo que pueda para tomar buenas decisiones, y encontrando profesionales que promueven la prevención de enfermedades y la promoción de la salud, estará bien en su camino hacia un usted más saludable.

Una gran píldora para tragar

Si puedes tragarte esta píldora que te estoy a punto de darte, estarás en camino a curar tu neuropatía. Aquí va: Para la mayoría de los tipos de neuropatía, USTED es la causa subyacente. Bueno, tú y tu doctor. Verás, para la gran mayoría de estos casos, es tu estilo de vida el que te mató los nervios. Culpo a su doctor, pero supongo que no debería, porque, para la mayoría de ellos, no tienen idea de cómo fomentar un ser humano sano. Son excelentes para diagnosticar enfermedades y recetar medicamentos para ayudarte a sentirte mejor y ese es el practicante al que vas en una afección potencialmente mortal como un derrame cerebral, infarto de corazón o trauma. ¡Pero cuando se trata de curación - de ninguna manera! No puedes curarte medicando a ti mismo y, como he dicho antes, no serás capaz de drogarte por su neuropatía periférica. Maldita sea, porque sé lo fácil que es tomar una píldora, pero lo que realmente se necesita para curar los nervios dañados no es tan fácil.

¿Quién más tiene la culpa?

Está bien, no es toda tu culpa. Después de todo, a ninguno de nuestros padres les entregaron El Manual Humano como lo conseguiste con tu auto, ¿verdad? Tus padres, y eventualmente tú, tuvieron que averiguarlo. Lo hizo con la información que la sociedad le dio: información de su doctor, familia, amigos y medios de comunicación. Si lo que te dijeron día tras día desde el momento en que naciste fue para drogar tus síntomas, que lo que comes realmente no importa y el ejercicio es para los pájaros, bueno, ese es el consejo que lo más probable es que usted siga.

Estadounidenses con lavado de cerebro

A menudo bromeo con los asistentes a mi taller que el hogar americano promedio tiene 2.93 televisores, 2.28 coches, y dos lavadoras. ¿Tienen los televisores y los coches, pero dos lavadoras? Sí, digo yo. Uno de ellos es su lavadora regular para la ropa, y el otro es la máquina de lavado de cerebro llamada su televisor. ¿Sabías que sólo hay dos países en el mundo, los Estados Unidos y Nueva Zelanda, que permiten a las compañías farmacéuticas comercializar directamente a los consumidores? El resto del mundo los gobiernos han determinado evidentemente que este tipo de marketing es poco ético, inmoral e incluso peligroso.

Mira, la industria farmacéutica es sólo eso... una industria. Su máxima prioridad es ganar dinero. ¿Crees que estoy bromeando? Considéralo. "El gasto publicitario para la industria de la asistencia médica de Estados Unidos en 2015 alcanzó un récord de $9 mil millones, un aumento récord de 11%". 17 ¿Cómo podrían gastar tanto dinero? Se necesita dinero para ganar dinero, dicen.

Esta industria tiene un margen de beneficio del 21%, lo que la convierte, con mucho, en la industria más rentable de todas. El marketing de televisión es, con mucho, el uso más eficaz de los dólares de la industria, pero Internet (sitios web, blogs, redes sociales, etc.) está mostrando un gran retorno de su inversión también. Y, no nos olvidemos de todos los otros medios de publicidad como periódicos, revistas, radio y más.

¿Nos han lavado el cerebro con su constante bombardeo de publicidad? Para citar al infame Adolf Hitler; "Si usted dice una mentira lo suficientemente grande, y lo dice con suficiente frecuencia, se creerá." Así que, tomemos un momento para la introspección. Eche un vistazo a su botiquín o en su mostrador. ¿Cuántos medicamentos estás tomando? ¿Sabes para qué sirven todos? ¿Has mirado hacia arriba o has tenido una conversación seria con tu médico sobre sus posibles efectos secundarios? ¿Te diste cuenta de que muchos de ellos tienen efectos secundarios de la neuropatía periférica, como ardor, hormigueo y entumecimiento en las extremidades? ¿Qué tal mareos, vértigo y problemas de equilibrio? ¿Te diste cuenta de que los mismos medicamentos que te están recetando podrían ser los principales contribuyentes a tu neuropatía? ¿Recuerdas las estadísticas de la introducción de este libro de que los estadounidenses constituyen el 5% de la población mundial y consumimos más del 75% de todos los medicamentos en el mundo? ¿Y que sólo ocupamos el puesto 50 en términos de "naciones de salud"? ¿Qué hay de la estadística que dice que gastamos más en la llamada atención médica que cualquier otra nación en el mundo? ¿Estás empezando a preguntarte cómo te metiste en semejante situación?

Pero, en una nota positiva, escuchemos los sabios consejos del famoso músico, Willie Nelson, "Una vez que reemplaces los pensamientos negativos por los positivos, empezarás a tener resultados positivos".

Chapter 3

El Dilema Del Crisis De Cuidado

Caso práctico

Jessica es mi asistente de la oficina de atrás, y cuando comenzó a trabajar para mí, tenía 34 años y parecía ser la imagen de la salud. Después de echar un vistazo más de cerca a sus nuevos formularios de evaluación de pacientes y su historia durante su examen inicial, se descubrió que tenía una historia de 15 años de enfermedad renal y una enfermedad autoinmune que aún no ha sido nombrada por la medicina occidental.

Ella explicó que cada vez que se enfermaba, como el resfriado común, la uticaria se le escaparía en el pecho y, dependiendo de la gravedad de la enfermedad, se extendían por todo su cuerpo, hinchando sus ojos y rostro y en reiteradas ocasiones, cerrando sus vías respiratorias. Esencialmente, un mal frío conllevaba el potencial de consecuencias mortales.

También se había sometido a una mastectomía doble completa a la edad de 32 años por enfermedad mamaria. Cuando se le preguntó sobre sus hábitos alimenticios, quedó bastante claro que había que hacer cambios en la dieta. Era una autoproclamada "chocoholic" y "junkaholic". Dulces, alimentos procesados, trigo, lácteos... todo estaba allí y en exceso. Ella sabía que su dieta era pobre, pero porque podía salirse con la suya comiendo lo que quería sin que aparezca en su cintura, lo hizo.

Después de años de pruebas, visitas de emergencia, cinco cirugías, un montón de tratamientos antibióticos para infecciones y estallidos autoinmunes, y una búsqueda continua y desesperada de respuestas, no uno de los muchos especialistas "verdaderos" que vio nunca le preguntó sobre su dieta. Ni siquiera uno de ellos.

Después de 30 días de mi dieta antiinflamatoria (que se tratará en el capítulo 6), descubrimos que tenía una reacción inmune al arroz y al queso. Después de un año de limpiar su dieta y eliminar el arroz y el queso por completo, se retiró con un resfriado malo y, por primera vez en más de una década, no tuvo una reacción autoinmune: ni sarpullido, ni EpiPen, ni una visita a la sala de emergencias. Dieta Americana Estándar: 0. Dieta humana óptima: 1.

La verdadera respuesta: las tres principales causas de muerte en los Estados Unidos.

#1. Enfermedad cardiovascular (muertes: 596,577)

#2. Cáncer (muertes: 576,691)

#3. Medicina (440.000)

La medicina moderna está centrada en la crisis y de la mayoría de las cuentas, es la mejor del mundo en eso. Se basa en la filosofía de que el envejecimiento es la fase de declive de la vida. Nacemos, vivimos, nos enfermamos y morimos. ¡Pero no tiene que ser así! Es el primer interruptor de mentalidad que tenemos que hacer. En lugar de pensar en nuestros cuerpos como recipientes destinados y diseñados para el deterioro y la enfermedad, piense en ello como destinado al progreso continuo. Sí, todos envejecemos, y todos moriremos eventualmente. Pero, ¿cómo sé diferente el resto de tu vida si decidieras vivir hasta tu potencial físico?

Piénsalo. ¿Estás motivado para estar bien en este momento, o estarás mucho más motivado para estar bien cuando te enfermes y te quitan la vida? Lamentablemente, sólo tendemos a encontrar nuestra motivación cuando algo sale mal. Es mucho más fácil elegir hamburguesas con queso y tiempo de sofá sobre opciones más saludables, hasta que todas esas malas decisiones finalmente creen un desastre para nuestra salud.

La conveniencia es el estilo americano

Realmente todo se reduce a la conveniencia. La mayoría de los estadounidenses están entrenados para ser perezosos, y las empresas satisfacen nuestros deseos. Queremos nuestra comida, café, píldoras e incluso nuestra salud rápida, conveniente y barata. Conduzca a través de, comida rápida, café rápido y Amazon. Todo rápido y todo lo más barato posible. Y hablando de estar saludable, es mucho más fácil simplemente hacer estallar una píldora en lugar de comer una buena comida día tras día y hacer ejercicio. Cielos, se necesita mucho tiempo para hacer buena comida e ir al gimnasio, ¿sabes? Esa es la verdadera causa de la gran mayoría de las enfermedades que estamos tratando hoy en día: opciones de estilo de vida. Debemos estar motivados todos los días para vivir un estilo de vida que nos permita prosperar, mantener y disfrutar de una calidad fantástica de la vida y de eso se trata el movimiento de bienestar: buscar bienestar en lugar de buscar curas, todos y cada uno de los días. No hay medicación, loción especial, poción, cirugía o inyección que vuelva a recuperar nuestra salud. Siempre he dicho a mis pacientes; "No puedes medicarse hacia una salud perfecta. Se necesita mucho trabajo y las decisiones correctas – todos los días"

¿Qué es el cuidado del bienestar?

Cada vez más personas se están deteniendo que centrarse en su bienestar podría permitirles vivir vidas más saludables y más largas. Exigen que sus proveedores de atención médica trabajen con ellos en planes de bienestar que prevengan enfermedades en lugar de simplemente tratar los síntomas. Hay evidencia de este cambio a nuestro alrededor:

- Los alimentos orgánicos y locales se están convirtiendo en la opción de productos preferida en Estados Unidos y en todo el mundo. Los listados del Directorio Nacional de Mercados de Agricultores del USDA han aumentado en más de un 61% de 2008 a 2013.18 Y el número de mercados de agricultores continúan de crecer cada año.

- La Administración de Veteranos se ha comprometido a implementar terapias alternativas para ayudar a los veteranos a lidiar con el dolor y evitar posibles adicciones a los analgésicos opioides. 19

- Según el Centro Nacional para la Salud Integrativa y Alternativa, aproximadamente 38% de los adultos estadounidenses utilizaron algún tipo de tratamiento de medicina complementaria o alternativa.20

- La mayoridad de los adultos estadounidenses- 68 por ciento- toman suplementos dietéticos.

- Un parte de la revolución para bienestar ha sido un cambio en la relación entre los pacientes y los médicos de asistencia primaria. En general, el público ya no elige tomar el consejo de su médico como la última palabra sobre ciertas preocupaciones de salud. Hoy en día es mucho más probable que hagamos preguntas, busquemos otras opiniones, y investiguemos tratamientos alternativos. El paciente, en lugar del médico, es ahora el responsable de la decisión cuando se trata el bienestar del paciente.

¿Para qué sirve la medicina moderna?

El sistema sanitario de "salud" de los Estados Unidos promueve los medicamentos y la cirugía por encima de todo, incluida la prevención. Los gastos en medicamentos en los Estados Unidos aumentaron en dos dígitos por el segundo año en 2015 y alcanzaron a los 425.000 millones de dólares. La primera tragedia de esta situación es que a pesar de todos esos gastos, los Estados Unidos todavía se está volviendo más enfermo y más enfermo. La segunda tragedia es que la mayoría de las enfermedades para las que buscamos atención de crisis son completamente prevenibles. No se equivoque: la medicina moderna sigue desempeñando un papel importante en nuestro sistema de asistencia médica y cuanto más abierto y receptivo sea su médico de atención primaria para discutir su atención de bienestar, el papel más de pareja que puede desempeñar en su salud en curso.

La visión moderna sobre la asistencia médica coloca todos los conceptos y actividades relacionados a la salud entre tres categorías:

1. El autocuidado – esto incluye las decisiones que usted toma todos los días acerca de la dieta, el ejercicio, el manejo del estrés, y similares.

2. Cuidado de la salud – esto es todo lo que usted busca ayuda para mantener una buena salud, tales como buscar proveedores de bienestar, obtener educación sobre la aptitud y el ejercicio, y participar en programas de bienestar que los médicos están ofreciendo.

3. Cuidado de crisis – esta es la atención que obtenemos cuando ocurre un desastre; cuando nos enfermamos o se lesionamos, y vamos al

médico o a la sala de emergencias para ayudarnos a arreglar lo que no podemos manejar por nuestra cuenta.

El autocuidado y la asistencia médica están destinados a prevenir la necesidad de atención en crisis. Sin embargo, elegir dejar de fumar no le impedirá tener un accidente automovilístico. Hay formas seguras de prevenir el cáncer, los ataques cardíacos u otras afecciones, pero, por supuesto, hay sucesos en los que las enfermedades graves, los huesos rotos, los órganos que fallan son el dominio legítimo de la atención de crisis.

Un curso intensivo sobre cómo sentirse bien

Lo más probable es que haya alrededor de un centenar de opciones de estilo de vida que podría mejorar. Aquí hay algunas sugerencias simples para volver a la pista:

- Hacer ejercicio regular y moderado (Treinta minutos, tres veces por semana)

- Manténgase bien hidratado (Bebe ocho vasos de 8 onzas de agua al día).

- Coma principalmente una dieta a base de plantas y densa en nutrientes.

- Dormir adecuadamente (al menos 7 horas/día)

- Deje de fumar y cualquier otro hábito de drogas.

- Disfrute de una ingesta baja de alcohol (como máximo no más que 5 bebidas/semana).

- Encuentra maneras saludables de lidiar con el estrés (ejercicio, yoga, estiramiento, mediación, oración).

- Busca actividades y personas que aumenten tu estado de ánimo.

Lleve a bordo a los profesionales de la salud de confianza para guiarlo, asesorarlo y proporcionar tratamientos/terapias para sus necesidades particulares, desafíos de salud y objetivos de optimización de la salud.

En capítulos posteriores, profundizaremos en muchos de estos temas con más detalle. Baste decir que las personas tienden a sentirse estresadas y conflictivas al hacer estos cambios en el estilo de vida. Es mucho más fácil ceder a nuestros deseos – ser perezoso sin salir al gimnasio; para pedir la hamburguesa con queso porque está en el menú de la hora feliz, pero la ensalada no lo es; para dejar de fumar, tal vez la próxima semana.

Todas esas decisiones que tomamos todos los días parecen insignificantes en el momento. Pero todo suma. En diez, veinte, treinta años, ¿te arrepentirás de tus elecciones de estilo de vida? Lo que todo se reduce a esto - ¿cómo se puede mejorar su nivel actual de funcionamiento?

Cómo elegir a su médico primario

En una palabra; Cuidadosamente. Creo que todos podríamos ser un gran médico primario en nuestro equipo de bienestar. También creo que este PCP podría ser un quiropráctico (estamos entrenados para saber cuándo consultar en busca de ayuda), un naturópata, un osteópata o un médico para nombrar el más común. Por sentado, necesitamos la sala de emergencias, pero día a día salud y bienestar, enfermedad y enfermedad, necesitamos un gran doctor. Uno que es de ideas afines, muy solidario y comparte nuestros objetivos de salud.

A pesar de los números sombríos que el campo de la medicina está poniendo, hay fabulosos médicos por ahí y son cada vez más fáciles de encontrar, especialmente con la red mundial. Aquí hay algunas palabras de elección que puede poner en su navegador web para encontrar el médico que apoyará la curación real. La medicina:

- Alternativa

- Complementaria

- Integrativa

- Natural

- Progresiva

- Holística

El boca a boca es siempre una gran manera de encontrar un médico también. Pregúntale por ahí. Ir a lugares de bienestar y curación, como los gimnasios locales o las tiendas de nutrición y vitaminas puede ser productivo. Preguntar a su masajista, quiropráctico, acupunturista u otros practicantes puede ser extremadamente fructífero.

Después de reducirlo a unos pocos, echa un vistazo al sitio web del practicante. ¿Te habla? ¿Sientes una conexión? Lee los testimonios en lugares como la revisión de Google (solo "Google" el nombre del médico), Yelp, Angieslist.com, etc. ¿Cuántas estrellas tiene? ¿Cómo son los comentarios?

Por último, llame al consultorio del médico y critique cómo es manejado por el personal. No necesariamente juzgaría el libro por su portada, pero tendrías una idea del equipo. La recepcionista es la ventana al médico. Lo más probable es que te comuniques con esta persona tanto como el médico. Hágale saber que usted está buscando a su próximo PCP, ha oído grandes cosas acerca de este médico y se preguntó si estaría dispuesto a hacer un "conocer y saludar" por tal vez 5 o 10 minutos para que pueda llegar a conocerlo. No es irrazonable preguntar esto. Es posible que se le ofrezca una discusión telefónica y, considerando lo ocupados que estamos todos, creo que esta es una alternativa aceptable a la reunión en persona. Después de todo eso, todo se reducirá a una intuición - tu instinto ... confía en él y ve con eso. Si trabaja con este practicante y determina que usted tomó una decisión equivocada, ¡FUÉRELO! Por favor por favor por favor tenga en cuenta que trabajamos para USTED, no al revés alrededor. He trabajado con tantos pacientes durante los años que dicen cosas como; "Bueno, he estado con él por tanto tiempo que no puedo imaginar irme "o" no quiero lastimar sus sentimientos". O "Mi médico es muy amable, pero no tiene idea de cómo manejar esto ".

Mi respuesta es siempre la misma. "¿Por qué demonios mantienes él / ella en tu equipo?" Sería como un equipo de fútbol profesional manteniendo al mariscal de campo "agradable" en la alineación inicial. Si no está haciendo el trabajo, ¡SIGUES ADELANTE! No lo harías mantener a un pintor empleado que hace un trabajo terrible, decae toda la casa se pinta con pintura y aparece constantemente tarde, ¿quieres? Por supuesto que no lo harías. El negocio de TU salud es de lo que se trata y solo obtenemos uno de estas vidas Si no está cortando la mostaza, ¡adelante! Ok, es hora de que yo siga adelante también. En el próximo capítulo, soy realmente voy a entrar en esto definiendo este "periférico "neuropatía". Una vez que hagamos eso, comenzaré a desarrollar El plan para deshacerse de él...

CAPÍTULO 4

Lo Que Debe Saber Sobre La Neuropatía Periférica

Caso práctico

A veces los pacientes vienen a mi oficina con neuropatía que se ha vuelto tan mala que comienzan a perder su voluntad de vivir. Esta historia viene de un paciente que dijo: "Era insoportable. Hace tres meses, le suplicaba a mi esposo que tomara un hacha, una sierra, o algo así y me cortara los pies". Sus pies estaban ardiendo, severamente entumecidos, hormigueo, e hinchado. Este fue un caso grave de neuropatía provocada por la diabetes.

Al final de su programa, declaró que se sentía 95% mejor y nuestras pruebas indicaron una mejora del 80% del funcionamiento de los nervios en los pies. "Tengo más energía; Puedo levantarme y hacer cosas cuando quiera. Hace tres meses, no pude hacer eso porque era tan insoportable, que incluso me puso de pie. Ahora estoy caminando y haciendo cosas alrededor de mi casa, yendo a lugares con mi esposo. Quería que me dejara acostarme y muriera. He perdido casi 30 libras en este programa y mis números de diabetes no han sido tan buenos en probablemente una década.

*Tengo una cita con mi **PCP** próximamente y voy a restregarlo en la cara [de mi doctor] porque ella me dijo que no había nada que se pudiera hacer. Dijo que tendría que lidiar con eso el resto de mi vida. No pensé que hubiera esperanza sin esperanza hasta que los encontré. Es un programa increíble. A todos ustedes, otros enfermos diabéticos de neuropatía, hagan esto: quítense los azúcares, quítense de las gaseosas y coman alimentos de verdad. ¡También **puedes** revertir tu neuropatía!"*

Una lección de neuroanatomía

Antes de sumergirnos en lo que es la neuropatía periférica, tendremos que establecer algo de anatomía o, más bien, **neuroanatomía**. Ayuda a desglosar el término y mirar cada palabra individual. "Neuropatía" significa daño a los nervios. La parte "periférica" del término se refiere al sistema nervioso periférico, que es todos los nervios del cuerpo que se irradian de la médula espinal y el cerebro.

Hablemos primero del Sistema Nervioso Central (SNC). Esencialmente esto consiste en el cerebro y la médula espinal. A menudo llamamos al SNC nuestro "ordenador a bordo", el órgano que controla todo el cuerpo.

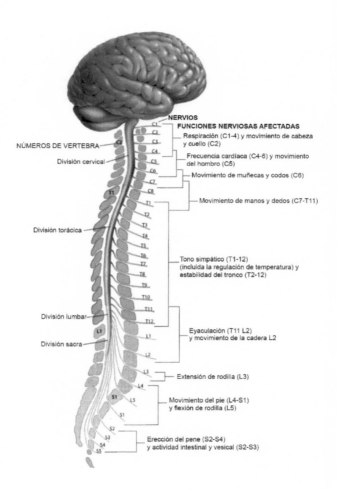

NÚMEROS DE VERTEBRA

División cervical

División torácica

División lumbar

División sacra

NERVIOS

FUNCIONES NERVIOSAS AFECTADAS

Respiración (C1-4) y movimiento de cabeza y cuello (C2)

Frecuencia cardíaca (C4-6) y movimiento del hombro (C5)

Movimiento de muñecas y codos (C6)

Movimiento de manos y dedos (C7-T11)

Tono simpático (T1-12) (incluida la regulación de temperatura) y estabilidad del tronco (T2-12)

Eyaculación (T11 L2) y movimiento de la cadera L2

Extensión de rodilla (L3)

Movimiento del pie (L4-S1) y flexión de rodilla (L5)

Erección del pene (S2-S4) y actividad intestinal y vesical (S2-S3)

Ahora, el Sistema Nervioso Periférico (PNS) consiste en todos los nervios que salen del cerebro o la médula espinal – es "periférico" al Sistema Nervioso Central. La mayoría de las neuropatías se refieren a los nervios que salen de la médula espinal y bajan a los brazos, manos y dedos o hasta las piernas, los pies y los dedos de los pies.

El sistema nervioso periférico también incluye los nervios que salen del cerebro y la médula espinal e ir a otras partes del cuerpo. El diagrama muestra los principales nervios periféricos que viajan por los brazos y las piernas.

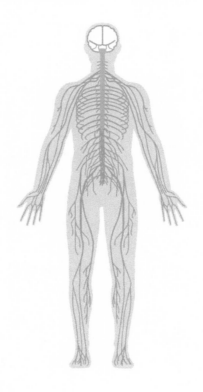

Síntomas comunes de Neuropatía periférica:

Hay tantas cosas diferentes que puedes sentir cuando tus nervios comienzan a morir o ya han muerto, pero aquí están las más comunes que escucho:

- ardor
- dolores agudos y punzantes
- •hormigueo
- entumecimiento
- incapacidad para sentir calor o frío
- los pies o las manos siempre sienten calor o frío
- dolor, opresión y / o hinchazón en las extremidades
- •Sensaciones "extrañas", como hormigas arrastrándose, calcetines que parecen agrupados, una sensación de que hay un trozo de cartón pegado en la parte inferior de los pies
- Incapacidad para agarrar objetos pequeños como agujas, bolígrafos o lápices, botones
- problemas de equilibrio
- debilidad

A continuación, tenemos que discutir el Sistema Nervioso Autónomo (ANS) porque es parte del PNS.

Hay dos partes en el ANS: el Sistema Nervioso Simpático y el Sistema Nervioso Parasimpático. Básicamente, el Sistema Nervioso Parasimpático calma nuestros órganos internos y el Sistema Nervioso Simpático los acelera. Es el resto y la recuperación contra los sistemas de vuelo o lucha. Ambos son necesarios para nuestra supervivencia. Esto es lo que es tan importante sobre el ANS en lo que se refiere a la neuropatía periférica.

Síntomas posibles de la neuropatía periférica en relación con el SNA:

- Presión arterial alta o baja.
- Asma, EOPC, problemas pulmonares.
- Reflujo ácido, parresia gástrica.
- Síndrome de intestino irritable, estreñimiento, diarrea.
- Prediabetes / diabetes
- Incontinencia (la pérdida del control intestinal y / o vesical)
- •Disfunción eréctil

Otros síntomas de neuropatía periférica

La neuropatía de los pequeños nervios de fibra reduce la sensación y puede hacer que el paciente no pueda sentir cortes, quemaduras, pinchazos o ampollas en la piel. La reducción de la sensación en los pies puede causar accidentes automovilísticos cuando las personas no perciben si están presionando el pedal de gas o el freno o pueden no ser capaces de regular la presión que aplican a un pedal.

La neuropatía en las piernas puede causar pérdida de equilibrio y coordinación. Este tipo de neuropatía causa miles de caídas cada año. Una caída pone al paciente en riesgo de fracturas de cadera, traumatismos en la cabeza y otras lesiones graves, que es la primera causa de muerte en personas de la tercera edad.

¿Qué causa la neuropatía periférica? En lugar de profundizar en los cientos de causas específicas de la neuropatía periférica, las dividiremos en cinco categorías generales.

1. **Neuropatía periférica relacionada con la circulación.** La mayoría de las personas con diabetes la experimentan, pero cualquier persona con circulación sanguínea reducida está en riesgo. Cuando los pequeños vasos sanguíneos que rodean los nervios mueren, los nervios se ven privados de alimento y eventualmente también morirán. Los nervios dañados son la fuente de dolor, entumecimiento y hormigueo. Más del 50% de los diabéticos desarrollan alguna forma de neuropatía (Clínica Mayo). La neuropatía periférica también es la causa principal de amputaciones para diabéticos...

2. **Toxicidad relacionada con neuropatía periférica** puedes ser causado por cualquier tipo de exposición a toxinas. El tres las causas en las que generalmente nos centramos son la quimioterapia drogas, estatinas y otros medicamentos.

   a. **Neuma titis periférica inducida por quimioterapia** es un efecto secundario reportado por muchos pacientes con cáncer. Algunos medicamentos de quimioterapia son más propensos a causar neuropatía que otros. Los pacientes que están en un horario de tratamiento más frecuente también son más propensos a experimentar neuropatía. Medicamentos de quimioterapia (Cisplatino, Vincristina, más) Aunque no es una lista exhaustiva, se sabe que estos medicamentos de quimioterapia causan neuropatía periférica: **vinca alcaloides (vincristina), cisplatino, paclitaxel,** y el **podofilotoxinas (etopósido y etopósido).** Otros medicamentos utilizados para tratar el cáncer, como la talidomida y el interferón, también pueden causar neuropatía periférica...

b. **Neuropatía periférica inducida por estatinas** es causada por el uso de medicamentos que los doctores recetan para reducir las grasas, incluidos los triglicéridos y el colesterol, en la sangre. En lugar de prescribir cambios en la dieta y los hábitos de ejercicio para corregir la causa del problema del colesterol, es mucho más fácil (y más rentable) que un doctor le recete una estatina. Verifique en su botiquín cualquiera de estos medicamentos con estatinas y pregúntele a su doctor si este medicamento posiblemente está causando su neuropatía; atorvastatina, fluvastatina, lovastatina, pitavastatina, pravastatina, rosuvastatina y simvastatina. Básicamente, si el nombre del medicamento termina en estatina, podría estar causando daño a los nervios periféricos. Los síntomas más comunes de la neuropatía inducida por estatinas son dolor muscular, calambres y debilidad. Además, el daño puede persistir incluso después de suspender el uso de estatinas, lo que significa que estos medicamentos pueden causar daño muscular permanente.

c. **Otros medicamentos**. Puede que no lo crea, pero aquí hay algunos otros medicamentos que pueden causar neuropatía periférica:

1. Medicamentos contra el alcohol (disulfiram)
2. Anticonvulsivos (fenitoína / Dilantin®, gabapentina)
3. Medicamentos para el corazón o la presión arterial (amiodarona, hidralazina, perhexilina)
4. Antibióticos (metronidazol, Flagyl®, Cipro®, Levaquin®, nitrofurantoína, isoniazida, dapsona)

    a. **Drogas legales e ilícitas** como abuso de alcohol

3. **neuropatía periférica inducida por el trauma es causado por eventos como accidentes automovilísticos, caídas o lesiones deportivas. Cualquiera de estos eventos puede causar daño a los nervios periféricos. Usar un yeso, caminar con muletas o movimientos repetitivos frecuentes también pueden dañar los nervios**

4. **Otras causas.** Como se mencionó, hay más de 100 causas diferentes de neuropatía periférica, y algunas de ellas no encajan perfectamente en las 3 categorías principales. Las condiciones en esta categoría incluyen (pero no se limitan a): esclerosis múltiple, enfermedad de Lou Gehrig (ELA), neuropatía inducida por el Agente Naranja, intoxicación por moho, accidente cerebrovascular, parálisis, enfermedades autoinmunes, mielitis transversa, intoxicación por metales pesados, deficiencias de vitaminas, anemia, y muchos otros

5. **Neuropatía periférica idiopática.** Esto básicamente significa que no conocemos la causa de la neuropatía. 6. Un hecho importante a tener en cuenta es que independientemente de la causa de la neuropatía periférica, el daño es el mismo bajo un microscopio. Las técnicas para reconstruir los nervios no cambian. Hablaremos de eso en el próximo capítulo.

Chapter 5

¿Cómo Tratamos La Neuropatía Periférica?

Caso práctico

Recuerdo un caso hace un tiempo cuando un paciente mayor entró con una neuropatía horrible tanto en sus pies como en sus manos.- hormigueo, entumecimiento y dolor, todo junto toda la semana. ¿Conoce todas las casillas en la documentación del paciente nuevo de un doctor con todos los síntomas posibles que uno podría tener? Bueno, casi los había marcado TODOS. Quiero decir, este pobre hombre estaba sufriendo mucho dolor.

Resulta que fue un soldado durante Vietnam. Saltó mucho de los aviones y, en un momento, durante un período de aproximadamente un año, su trabajo consistía en proyectar al Agente Naranja fuera del avión mientras volaba sobre territorio enemigo. Me explicó que, en ese momento, nadie sabía de los efectos dañinos de este químico muy tóxico. Lo sabían, ya que solo se necesitaba una gota de la materia para defoliar aproximadamente un acre de vegetación, no podía ser bueno respirarla. Por eso les dieron a todos los hombres pañuelos para que se los pusieran en la cara. Nada más que un pañuelo de tela. No es una máscara con oxígeno fresco, sin protección para los ojos o la piel ... solo un pañuelo.

Bueno, AHORA sabemos que el Agente Naranja es MUY tóxico para los humanos y una de sus terribles afecciones es la neuropatía periférica. Cuando realicé la prueba de neuropatía, tenía una pérdida del 99% de los nervios en ambos pies y una pérdida del 80% en las manos. Lamentablemente, tuve que decírselo a este veterano que sirvió a nuestro país con valentía y orgullo de que las terapias naturales utilizadas en nuestro programa NO volverían a sus pies a la normalidad, pero todavía teníamos una oportunidad "justa" en sus manos. Como sus pies eran, con mucho, los más irritantes para él, decidió NO comenzar a preocuparse. Fue triste para mí verlo salir por la puerta porque estoy seguro de que podría haberlo ayudado significativamente hace diez años.

¿La moraleja de la historia? No espere hasta que su neuropatía esté demasiado avanzada. Esta es una condición progresiva que sigue empeorando cada vez más...

Entonces, ¿cómo tratamos la neuropatía periférica ... ahora esa es la pregunta, ¿verdad? Es por eso que recogiste este libro en primer lugar. Lo que estoy dispuesto a decir probablemente te sorprenderá, pero debes escucharlo. Este es el quid de todo el programa: la cremé de la cremé. ¡Esta próxima declaración es la razón por la cual podemos apreciar una tasa de éxito del 85%

cuando los médicos y la medicina occidental están fallando miserablemente! OK, aquí vamos:

¡NO tratamos la neuropatía periférica en absoluto! "Que dices. "Si no lo tratas, ¿cómo es que escribiste un libro sobre él?" El hecho es que ni yo, ni tu PCP, ni el mejor neurólogo tienen una sola pista sobre cómo reparar un nervio que se está muriendo. tus pies o manos (y mucho menos miles de nervios que se disparan). Realmente no lo hacemos, pero La buena noticia es que tu cuerpo realmente lo hace.

Esa es la gran noticia y, al mismo tiempo, las noticias increíblemente edificantes. Sí, la razón por la que obtenemos tal excelentes resultados con una condición que supuestamente es "Imposible" de curar es que aprovechamos los más valiosos herramienta conocido por el hombre. Tenemos (ya incorporado en nosotros) ¡La capacidad de autocuración! Si quieres decir que fue "dado de Dios" o "derivado de la naturaleza" o simplemente una parte del mecanismo de supervivencia, somos auto sanadores. D.D. Palmer, el fundador de la quiropráctica, lo llamó "inteligencia innata" lo que significa que tenemos una inteligencia innata que sabe cómo manejar nuestro cuerpo, y eso incluye la curación cuando está herido o enfermo. Como quieras llamar ¡es GRANDE!

Vamos a dividirlo en un escenario simple. Digamos que Dejas tu casa para unas vacaciones prolongadas. cuatro semanas. Cierras la casa, apagas el aire acondicionado, Cierra las persianas, cierra con llave y vete. Cuando regreses cuatro semanas después y abres las persianas, descubres que Todas las plantas de su casa están en serios problemas. La mayoría son ya sea muerto o mirar de esa manera. ¿Cuál sería tu primer instinto? ¡Probablemente estarías molesto, pero estoy seguro de que agarrarás la regadera y regarlos! Luego, puedes acercarlos un poco más a las ventanas, o si es lo suficientemente agradable, tráelas al exterior para una mejor exposición al sol. Para ayudar, incluso puede ofrecerles una pequeña enmienda de suelo con un poco de fertilizante o Miracle-Gro ®.

¿Qué harías ahora? ¿Lo más probable? Nada. Te saldrías del camino y dejarías que la naturaleza siga su curso, dándonos cuenta de que, mientras la planta no esté completamente muerta, volverá, ¿verdad? Bueno, ese es nuestro método exacto, pero lo hacemos de la manera humana. Le damos a su cuerpo lo que necesita y le quitamos lo que lo está lastimando. Es tan simple que realmente no entiendo por qué más doctores y "expertos" no "consiguen" este concepto.

¿Por qué la neuropatía es un rasguño restado de cabeza? Estoy atónito de la mente. Los doctores habitualmente les dicen a sus pacientes que los nervios no pueden regenerarse, ¡pero simplemente no es cierto! A la mayoría de nuestros pacientes se les dice: "No hay nada que se pueda hacer por la neuropatía periférica". O "Tienes que aprender a vivir con ello", o "Sólo estás envejeciendo."

Independientemente de los detractores, para la mayoría de los casos de neuropatía periférica, revertir la neuropatía periférica no es imposible. Por eso titulé el libro *Revirtiendo la neuropatía periférica: haciendo lo imposible,*

posible. Sin embargo, se necesita trabajo. Se ha demostrado que varios tratamientos estimulan el crecimiento de las terminaciones nerviosas y los vasos sanguíneos que los nutren.

Si una afección subyacente tratable causa los síntomas, casi siempre es posible revertir la neuropatía. Mientras que los medicamentos pueden reducir el dolor asociado con la neuropatía periférica, los analgésicos no hacen nada para reparar o revertir el daño a los nervios y los vasos sanguíneos. ¿Y qué hay del entumecimiento? No hay ningún medicamento para encubrir el síntoma de entumecimiento u hormigueo – ni siquiera existe. Llegar a la causa raíz de la neuropatía y tomar medidas para revertir el daño es el único método eficaz y duradero de tratamiento. ¿En conclusión? Nunca, nunca serás capaz de medicarse a sí mismo fuera de la neuropatía periférica.

El objetivo final en el tratamiento de la neuropatía es eliminar los bloqueos para que los nervios puedan funcionar correctamente y enviar y recibir mensajes hacia y desde el cerebro. La mejor manera de lograrlo es con un plan de tratamiento integral. Es por eso que utilizamos varios métodos simultáneamente para tratar a nuestros pacientes de neuropatía periférica. En nuestra clínica, las citas de neuropatía periférica duran ....

Opciones de tratamiento de neuropatía periférica

A continuación, hay una lista parcial de los tratamientos que hemos encontrado que son extremadamente útiles para nuestros casos de neuropatía. A medida que la ciencia cambia continuamente y nuestra comprensión de la neuropatía aumenta más y mejores tratamientos se agregan y los viejos se restan o reemplazan. Comencemos con la lista, sin ningún orden en particular y en los siguientes capítulos profundizaremos un poco más en cómo funcionan, ¿de acuerdo?

Nutrición – Este debe comenzar en la parte superior de todos los tratamientos doctores, sin importar la condición. Comprometerse con los cambios en la dieta que reducen la inflamación en el cuerpo puede marcar una gran diferencia en la reversión de la neuropatía periférica. Una dieta antiinflamatoria promueve alimentos que inhiben el efecto dañino de la inflamación (carnes, verduras, frutas, nueces y semillas) y limita la ingesta de alimentos que promueven la inflamación (azúcares, almidones, alimentos de omega-6, alcohol y tabaco). . (Ver Capítulo 6)

Suplementos – Teóricamente, deberíamos poder obtener todo lo que necesitamos para sobrevivir y prosperar con una dieta buena y limpia. En la actualidad, con una industria agrícola que está más interesada en ganar dinero rápido (miles de millones de dólares, en realidad), se toman muchos atajos y, por lo tanto, debemos complementar nuestra dieta. Hay muchos suplementos que el humano moderno debería tomar para llenar los vacíos que deja nuestro suministro de alimentos, pero para este libro, me centraré en aquellos que prescribimos en la mayoría de los casos para la neuropatía. Básicamente, utilizamos suplementos que disminuyen la inflamación y aumentan el óxido nítrico. (Ver Capítulo 6)

Terapia de luz de bajo nivel (TLBN) - TLBN utiliza láseres de baja potencia o diodos emisores de luz infrarroja para promover el crecimiento de las arterias, reducir el dolor, mejorar la respuesta inmune, acelerar la curación de heridas y fracturas, aumentar la producción de colágeno y ADN, y promover la actividad de los fibroblastos. (Ver Capítulo 7)

Electroterapia - Utilizamos una herramienta llamada The ReBuilder® en nuestra clínica. Utiliza estimulación eléctrica de baja frecuencia para mejorar y normalizar los déficits en la velocidad de conducción nerviosa. Las cinco ubicaciones de Cáncer Traten Centers de America® confían en ReBuilder System® para aliviar la neuropatía periférica inducida por quimioterapia. Me imagino que, si les funciona, ¿por qué no nos funcionará? ¡Y lo hace! Lo utilizamos con éxito desde 2010. (Consulte el Capítulo 8)

Terapia basada en el cerebro (TBC) - TBC permite que las señales fluyen entre el cerebro, la médula espinal y los nervios. Dado que BBT promueve la función del sistema nervioso, debe considerarse una parte integral de cualquier plan de tratamiento de neuropatía periférica. Los receptores en las manos y los pies están conectados a los nervios que viajan hasta el cerebro donde se interpretan sus señales. Un programa integral de neuropatía debe incluir terapias y tratamientos que incluyen mejorar la función del cerebro. (Ver Capítulo 9)

Terapia de vibración – La terapia de vibración aumenta el equilibrio y la movilidad, la densidad ósea y el rango de movimiento. También aumenta el flujo sanguíneo en 15 veces. Durante la terapia de vibración, los pacientes se sientan o se paran en una plataforma vibratoria que hace que sus músculos se contraigan, aumenten la circulación y la estimulación nerviosa. (Ver Capítulo 10)

Terapia de tejidos blandos – Las máquinas manuales de tejidos blandos se utilizan para masajear el tejido que rodea las áreas afectadas por la neuropatía periférica. La terapia de tejidos blandos se dirige a los músculos y tejidos blandos lesionados. Las terapias manuales de presión ligera y profunda, la movilización articular, Trigenics®, las técnicas de estiramiento y puntos gatillo se utilizan para promover la restauración de la función, la circulación mejorada y la descomposición del tejido cicatricial. (Ver Capítulo 11)

Descompresión Espinal – Cuando la

neuropatía periférica ha resultado de un accidente o lesión que condujo a discos comprimidos o vértebras, la descompresión espinal puede proporcionar alivio. Es una técnica que utiliza una tracción específica para quitar la presión de los discos y permitir que vuelvan a su lugar. También estimula el flujo sanguíneo, lo que produce una respuesta curativa. (Ver Capítulo 12)

Ejercicio – Una y otra vez el ejercicio se demuestra en la investigación para ayudar con casi todas las dolencias conocidas por el hombre, pero aquí está el problema con la neuropatía periférica y el ejercicio. Duele demasiado como para hacerlo. Vea al Capítulo 13 donde puedes ver cómo volver a hacer ejercicio de manera segura y sin dolor...

¿Qué más hay ahí?

Hay muchas capas que conforman una afección como la neuropatía. Muchos de ellos se discuten en este libro: neurológicos, esqueléticos, musculares y vasculares. - pero no olvidemos los otros que a veces pueden ser difíciles de medir y "tratar". Las capas psicológicas, emocionales e incluso espirituales casi siempre están ahí también. ¿Eres un pensador positivo o ese vaso siempre está medio vacío? ¿Crees que tu neuropatía puede ser ayudada o estás completamente desesperado? ¿Crees que TODA la curación debe venir en una botella o cirugía o piensas que el cuerpo tiene una sabiduría innata que está diseñada para curarse a sí misma?

En mi opinión, todos los equipos y dispositivos sofisticados que utilizamos son de poco valor si un paciente no tiene remedio. A veces tendremos que dedicar más tiempo a las creencias antes de comenzar el proceso de curación. Si bien les brindamos a nuestros pacientes los recursos para que tomen las decisiones correctas por sí mismos, depende exclusivamente de usted como hasta qué punto sigues estas pautas. En los próximos capítulos, profundizaré en los tratamientos mencionados anteriormente.

¿Estás listo para sanar? ¿Estás enfermo y cansado de estar enfermo y cansado? ¿Ha llegado el momento de recuperar tu vida? Si la respuesta es sí, ¡pase a la página siguiente!

CAPÍTULO 6

La Nutrición Y La Suplementación

Caso práctico

Bill M. tuvo un caso complejo de neuropatía diabética que se presentó como hormigueo, entumecimiento, y dolor en las manos y los pies. Le dolían tanto los pies que tuvo dificultad para pararse por cualquier período de tiempo. La sensibilidad en sus manos era tan mala que apenas podía agarrar o pasar una página en un libro. Era un ávido lector y le encantaba jugar al golf, pero tuvo que renunciar a estos dos pasatiempos. Al igual que muchos de mis pacientes con neuropatía, Bill tenía diabetes y estaba tomando gabapentina, junto con otros 8 medicamentos. Después de 2 meses de cuidado, Bill entró a la oficina y nos dijo que se había despertado la mañana anterior y dijo: "Dios mío, mis pies se sienten bien hoy".

Al final de su programa de atención, Bill nos dejó con este testimonio brillante: "Estuve tomando metformina y gabapentina durante un año; no parecían hacer nada. Gracias a su programa, ha marcado una gran diferencia. Comencé con diabetes y luego la revertí con sus recomendaciones de dieta y suplementos. Estoy aprendiendo a comer los alimentos correctos, en lugar de todo lo que el gobierno nos dice que es tan bueno para nosotros. Ahora he llegado al punto, donde estoy renovando algunas terminaciones nerviosas. Tengo una mejor sensación de sentir mis manos y pies. Puedo caminar mejor, puedo caminar más y he perdido 40 libras. Y me ha dado una nueva oportunidad de vida."

Oh, la última vez que vi a Bill, acababa de jugar golf en 18 hoyos ... y puede pasar las páginas de sus libros favoritos. Estaba completamente fuera de metformina y gabapentina. En su reevaluación final, declaró que se sentía 60-70 por ciento mejor y en nuestras pruebas nerviosas sus manos habían mejorado en un 40% y los pies en más del 50%. No está mal para dos condiciones "imposibles" de revertir, como la diabetes y la neuropatía.

Como dije anteriormente, la nutrición es el lugar donde deberían comenzar todos los programas de tratamiento. Omitir este paso con la neuropatía es como construir una casa en la arena. No funcionar. Tienes que construir una base sólida sobre la cual la salud pueda construir. Ah, por cierto, "salud" es lo que buscamos en mi "Programa de Revirtiendo la Neuropatía". Sanar sus nervios será un "efecto secundario" para mantenerlo saludable. Debes entender este punto. A menudo, en mi cita de informe de hallazgos donde estoy dando mis recomendaciones, me detendré justo después de haber establecido mi plan nutricional y hacerle una simple pregunta al paciente.

"Sra. Jones, ¿crees que puedes seguir estas recomendaciones dietéticas? Porque si no puedes, deberíamos detenernos aquí, estrechar la mano y aceptar ser amigos ". En serio, les digo:" es tan importante ". Si no pueden darme su palabra, harán lo mejor que puedan. durante al menos 30 días, entonces ni siquiera me molesto en explicar todo el equipo sofisticado que utilizamos para apoyar y acelerar la curación de los nervios.

La nutrición en pocas palabras

Tenemos que disminuir la inflamación metabólica en esas vías nerviosas, y es muy simple de hacer. La forma en que los corregimos es recomendando una dieta limpia, saludable y antiinflamatoria. Estos son los conceptos básicos de esta dieta: sin azúcar, sin lácteos, sin granos refinados como el trigo y sin alcohol. La mayoría de los pacientes en este punto son como: "¡Órale! ¡¿QUÉ PUEDO COMER?" Aquí es donde obtengo las cejas levantadas, el ceño fruncido y las miradas en blanco. Para la mayoría, acabo de quitarles una gran parte de sus alimentos diarios y se imaginan que tendrán que pasar hambre durante los próximos 30 días. Bueno, hablemos de lo que queda por comer. ¡Gente, lo que les queda es COMIDA REAL! ¡Es lo que se supone que los humanos están comiendo por el bien de tus nervios! Alimentos como:

- carne de res (sí, incluso bistec)
- pollo
- Turquía

- cerdo (sí, incluso tocino)
- pescado
- Venado
- bisonte
- verduras (y muchas de ellas)
- frutas
- nueces (y mantequilla de nuez)
- semillas (y mantequilla de semillas)
- almendra, coco, leche de cáñamo
- tés herbales y verdes
- agua

Hay un montón de comida para comer; sólo nos estamos quitando toda la mierda, ¿de acuerdo? Esta no es una dieta restringida en calorías y nunca tendrá sin hambre en ella. Para mis pacientes, tenemos un gran tipo de recetas y listas de compras de alimentos también (tal vez ese sea mi próximo libro). En caso de que te estés preguntando, esto está muy cerca de "La Dieta Paleo". Búsquelo en Internet. El libro más vendido de Loren Cordain, Ph.D. tiene derecho simplemente; *The Paleo Diet*. Recomiendo encarecidamente conseguir el libro. Es un libro de referencia con recetas y explicaciones. Escucha, esta dieta es muy fácil de seguir. Sólo tienes que decidir si vas a aguantarse e ir a por ello o no.

Ahora, los beneficios de esta dieta son enormes.

Lo primero es que va a disminuir la inflamación en todo el cuerpo, especialmente en las terminaciones nerviosas en los pies y las manos. Por lo tanto, espero que empieces a notar diferencias en cómo te sientes, muy rápido, ahora es diferente para cada paciente, pero en algún lugar dentro de la primera semana a la tercera semana vas a notar que te sientes mucho mejor.

La segunda cosa es esta: su glucosa sanguínea, su presión arterial, su colesterol, sus triglicéridos y otros marcadores sanguíneos que su médico está midiendo y probablemente medicando para van a ser más saludables que han estado en mucho tiempo. Estos son cambios muy significativos que ocurren en un período de tiempo muy corto.

Lo siguiente que notarás es energía, y quiero decir mucho de ella. No estoy hablando de la energía artificial a la que has estado acostumbrado a las gaseosas y el café, ¡quiero decir REAL, orgánico, energía hecha por el hombre! ¿Esos altibajos que ahora sientes a lo largo del día? Será mejor que dejes eso atrás. Es parte de tu historia. Te sorprenderá la cantidad más de energía que vas a tener y lo nivel que estará a lo largo de tu día. ¿Siesta? La cosa del pasado. Ido. Ya no los necesitarás. Ni siquiera sentirás la necesidad de ellos. Es notable lo rápido que tu cuerpo va a estar en la curación de sí mismo.

Y lo último es que podrías bajar de cinco a diez libras dentro de ese primer mes, ¿de acuerdo? Y eso es sólo una ventaja adicional de conseguir más saludable.

¿Por qué es el trigo tan malo?

Bien, lo entiendo todo el tiempo, así que mejor lo cubro ahora mismo. Aquí hay preguntas y declaraciones que recibo:

- "Pensé que el trigo integral se supone que es saludable para mí."
- "¿Qué pasa con el pan de Ezequiel o germinado? trigo ... no son buenos para mí?"
- "¿Qué hay del pan de centeno? ¿Eso está bien?"I

El trigo es una espada de doble filo. ¿Recuerdas el capítulo dos cuando pasé por encima del índice glucémico (IG)? El índice que nos dice lo rápido que ciertos alimentos se convierten en glucosa sanguínea (glucosa). A la glucosa en sí se le asigna el valor de 100 y todos los demás alimentos se comparan con ella. Por lo tanto, cuanto mayor sea el número, más rápido se convierte el alimento en azúcar en la sangre.

Demasiado azúcar en la sangre durante demasiado tiempo (una vida para la mayoría de nosotros), quema el páncreas de combatir esta interminable embestida de azúcar. Bueno, demasiado azúcar en la sangre literalmente MUERE LOS NERVIOS, especialmente las terminaciones nerviosas (como nota lateral, mata otros órganos también, como los riñones, retina en el ojo e incluso el propio cerebro). Cuando finalmente destruyes el páncreas, y hace popó en su capacidad para liberar insulina, lo llamamos "diabetes tipo II".

En su camino a la diabetes usted está matando los nervios también, así que sólo porque usted no (todavía) lo tiene, si usted no está regulando los azúcares en la sangre lo suficientemente bien, usted está matando LOS

NERVIOS, así que detenerlo!

Vaya, tengo un pequeño rastro allí. Déjame bajar de la caja de jabón y volver al trigo. Así que, en tu plato, ese pedazo de tostada que desayunaste se convirtió en glucosa en tu sangre más rápido que si te comieras un montón de azúcar de mesa. ¿Ensuciste eso? El índice glucémico del pan de trigo entero es 69, y el del azúcar de mesa es 65. ¿En conclusión? Lo que importa no es lo que hay en tu plato; es lo que tu cuerpo hace con lo que está en tu plato lo que importa. Es mejor que te estés poniendo un soplete en los nervios de los pies y las manos porque eso es más o menos lo que estás haciendo

Considere esto: ¿cuántas cucharaditas de azúcar hay en dos rebanadas de pan integral supuestamente saludable? Agárrate el sombrero. ¡Diez (10) cucharaditas de azúcar! ¿Cuántas cucharaditas de azúcar hay en ese bar Snickers de sabor muy dulce? 8.5 cucharaditas de azúcar. Por lo tanto, dos rebanadas finas de pan de trigo integral tienen más azúcar que una barra Snickers. Oye, no me malinterpretes aquí. No estoy diciendo que un bar De nickers esté sano, ¿de acuerdo? En el otro borde de la espada de trigo está el misterio del gluten. Sé que has oído hablar del gluten.

¿Cómo no en este día y edad cuando tantos artículos se comercializan y se hacen sin gluten? Parece que en todas partes se gira hay "sin gluten". ¡Incluso puedes conseguir galletas Oreo sin gluten! Cielos, Louise. Supongo que el término "sin gluten" se vende, ¿eh? De todos modos, resulta que todo esto del gluten no es sólo otra fase o moda. Según la Fundación Nacional para la Conciencia Celíaca, sólo el 1% de los estadounidenses tienen enfermedad celíaca, lo que significa que son ALÉRGICOs a la proteína de gluten en trigo, centeno y cebada y necesitan evitarlo como la plaga porque, con el tiempo, los matará. Por otro lado, se estima que 18 millones de estadounidenses pueden tener sensibilidad al gluten no celíaca (NCGS). No morirán de gluten, pero sin duda serán incómodos.

Algunos síntomas incluyen:

- Distensión abdominal y gaseosa especialmente justo después de comer gluten
- Diarrea, estreñimiento y heces malolientes
- Dolor abdominal
- Depresión y ansiedad
- TDAH / TDA
- Niebla del cerebro
- Enfermedad autoinmune
- Baja inmunidad
- Problemas dentales
- Pérdida de peso inexplicable o aumento de peso
- Migraña (y otros) dolores de cabeza
- Problemas de la piel (eczema, erupciones cutáneas, ampollas con picazón, granos)
- Desequilibrio hormonal
- Dolores articulares y musculares
- Entumecimiento u hormigueo en los brazos y piernas

- Fatiga extrema

Entonces, considerando la espada de doble filo del trigo, recomiendo a todos mis pacientes de neuropatía periférica que dejen de comerla ... 100%. No puedes simplemente reducirlo; debes detenerlo por completo. Después de 30 días, si quieres probarlo, puedes hacerlo, pero haz un balance de cómo te sientes antes de hacerlo y luego cómo te sientes después. Si usted tiene cualquiera de los síntomas mencionados anteriormente, usted también puede ser sensible al gluten o tal vez incluso ser un enfermo celíaco. En ese momento, tendrás que tomar una decisión. Tenga su pastel y sufra o no tenga su pastel y viva su vida mucho más cómodamente. Por cierto, si quieres un gran libro para leer sobre el tema, deberías leer *"Wheat Belly"*, del cardiólogo William Davis, MD.

Lácteos, lácteos, tan contrarios

Los productos lácteos incluyen alimentos como yogur, queso y mantequilla. Están diseñados específicamente para los bebés de vaca (o cabras) – no humanos. Sé, lo sé, creciste bebiendo leche y comiendo queso y yogur y también lo hice.

Totalmente no es cierto. No sólo es inflamatorio para nosotros, pero ha sido tan alterado de su estado normal, no es ni siquiera el mismo alimento que era cuando salió por primera vez de la ubre. ¿Recuerdas la leche en los años 50 y 60 cuando fue entregada por el lechero en envases de vidrio? ¿Recuerdas también cómo la crema flotaba hasta la parte superior y tu mamá (o tú) usó esa crema para hacer mantequilla, poner tu café y otras cosas? También tenía una vida útil tan corta que duraría tal vez cinco días si se pone en la caja de hielo lo suficientemente rápido, ¿verdad? Bueno, eso no es el tiempo suficiente para las ventas, ya sabes, hoy en día, la leche es alterado significativamente Algunos, si no se elimina toda la grasa, luego se pasteuriza, homogeneiza y bastardía. Le agregan vitamina D y luego la envían en camiones cientos de millas de la granja Y aquí hay otra cosa con la leche: calcio. ¿No es así, "la leche le hace bien a un cuerpo?" Bueno, eso es lo que nos dicen una y otra vez, ¿correcto? Déjame contarte la otra mitad de la historia. La parte que no quieren que sepas. Dicen que la leche es una excelente fuente de calcio y eso es cierto, pero, al igual que en el ejemplo de trigo, no es lo que está en tu vaso lo que importa, más bien, es lo que tu cuerpo hace con lo que hay en tu vaso. Sólo tienes que leer este extracto de www.saveourbones.com y decidir por ti mismo.

> "Como todas las proteínas animales, la leche acidifica el pH del cuerpo, lo que a su vez desencadena una corrección biológica. Usted ve, el calcio es un excelente neutralizador de ácido y el mayor almacenamiento de calcio en el cuerpo es (lo adivinó) en los huesos. Entonces, el mismo calcio que nuestros huesos necesitan para mantenerse fuertes se utiliza para neutralizar el efecto acidificante de la leche. Una vez que el calcio se extrae de los huesos, sale del cuerpo a través de la orina, por lo que el sorprendente resultado neto después de esto es un déficit real

de calcio. Sabiendo esto, entenderá por qué las estadísticas muestran que los países con el menor consumo de productos lácteos también tienen la menor incidencia de fracturas en su población."

Además de eso, también puede ser intolerante a la lactosa (u otra propiedad láctea). Es probable que conozcas a alguien que tenga intolerancia a la lactosa y solo necesita evitarlo. Los hace muy incómodos comerlo. La realidad es que tú también puedes ser intolerante a ella también y simplemente no saberlo. ¿Cómo lo sabrás? Es simple: pagaría por un análisis de sangre caro o rápido de él durante al menos 30 días. Luego, agréguele de nuevo y vea cómo se siente. Adelante, pruébalo. ¡Te prometo que no morirás y tus huesos no se convertirán en polvo dentro de un mes!

¿Realmente la leche hace bien un cuerpo? Sí, en el cuerpo de un ternero, pero no en tu cuerpo. Eres humano y sólo necesitas leche humana durante el primer año; ¡es hora de crecer fuera de ella! Somos la única especie en el planeta que bebe la leche de otra especie. ¿No es un poco raro pensar en un canguro bebiendo la leche de una cebra? Además, ciertamente no es bueno para tus nervios. Para ser aceptado en nuestro programa de neuropatía, nuestros pacientes tienen que comprometerse a al menos de 30 días sin lácteos.

¡Apura el trago!

El agua constituye el 70% del planeta tierra y sorprendentemente aproximadamente la misma cantidad en el cuerpo humano. Diría que es la molécula más olvidada pero importante del mundo de la curación. Se estima que hasta el 75% de los estadounidenses están crónicamente deshidratados. Se necesita en casi todas las reacciones químicas que ocurren en el cuerpo y también:

- regula la temperatura de tu cuerpo
- protege el cerebro y la médula espinal actuando como un cojín
- lubrica tus articulaciones
- es crucial en los procesos de excreción y desintoxicación
- ayuda en la digestión

Sin mencionar lo obvio. ¡Sin ella, morimos! Podemos vivir sin comida por hasta 3 semanas, tal vez más tiempo, en la situación ideal, pero, en el MEJOR escenario, podemos hacerlo solo alrededor de una semana sin agua.

Aquí hay algo a tener en cuenta al tratar de calcular cuánto beber. Obviamente, depende de muchos factores:

- Cuánto pesas,
- la temperatura,
- estar expuesto a la luz solar directa,
- ejercicio vigoroso
- Y más

Tenga en cuenta que perdemos agua rápidamente cuando estamos enfermos, tenemos diarrea o estamos vomitando. Dicen que se supone que debemos beber ocho vasos de agua de 8 onzas por día, que casi llena una botella de 2 litros. Tenga en cuenta que también obtenemos agua de los alimentos que comemos. La sandía, el melón y las fresas contienen hasta un 92% de agua, pero ¿sabías que las verduras como el calabacín, la coliflor y las espinacas también tienen una tonelada de agua? Incluso las zanahorias tienen 87% de agua en ellas. Por lo tanto, consumir de 4 a 5 porciones de verduras y frutas al día aumenta su consumo general de agua.

Los 8 anteojos al día son una buena regla general, pero aquí hay una mejor si no te gusta contar. ¡ESCUCHA A TU CUERPO! Intente NUNCA dejar que tenga sed. ¡Cuando tienes sed, estás detrás! Date prisa y bebe un poco de agua o come una zanahoria.

Una de las estrategias que uso es tomar dos vasos grandes de agua cuando me despierto. Por lo general, tengo sed de todos modos, y es fácil de hacer. Cada uno de los vasos de cerveza que uso contiene 16 onzas de agua, por lo que me da una gran ventaja. Ya estoy en cuatro de mis ocho vasos, ¡a mitad de camino! Mi té verde más tarde en la mañana representa otro, ¡y ya estoy listo! Oh, por supuesto, cuando he corrido, he nadado o he andado en bicicleta (o algún otro ejercicio), necesito agregar más agua, ¿verdad?

¿Qué pasa con jugo, Gatorade®, refrescos de dieta y té dulce?

Ok, pensé que tendría que cubrir esto en algún momento, así que aquí va. Los humanos están hechos para beber una cosa ... ¡AGUA! Todo lo demás, en general, NO ES BUENO PARA NOSOTROS.

El ugo - MANERA DEMASIADO AZÚCAR. Cuando eliminas toda la fibra, lo que te queda es agua azucarada: MALO para ti y definitivamente MALO para tus nervios. Sí, tiene altos niveles de vitamina C, pero ¿todo ese azúcar? MALO MALO MALO. Aquí está lo que el autor más vendido, el Dr. Permutter (es un neurólogo que escribió *Grain Brain* – Por cierto, este es un gran libro) tiene que decir sobre el tema.

> "La realidad de la situación es que sí, un vaso de jugo de naranja, sí, contiene algo de vitamina C, pero ese hecho apenas supera el hecho de que O.J. solo está cargado de azúcar. Un solo vaso de 12 onzas de O.J. contiene la increíble cantidad de 9 cucharaditas de azúcar, ¡casi lo mismo que una lata de Coca-Cola de 12 onzas! Esto equivale a 36 gramos de carbohidratos, aproximadamente la mitad de lo que debe consumir en un día.."

Aquí está mi respuesta rápida a Gatorade® y otras bebidas deportivas. ¡BASURA! ¡El índice glucémico de esta bebida que se vende como una alternativa saludable a los refrescos es la friolera de 89! ¡Basta de charla! Manténgase alejado, a menos que haga ejercicio EN

VIGOR durante más de una hora, luego--tal vez consumirlo. ¿Qué es mejor para conseguir esos electrolitos? Agua de coco – pruébala.

Las gaseosas dietéticas son HORRIBLE. Son incluso peores que las gaseosas normales, no es que diga que las gaseosas regulares son buenas para ti. Todos ellos contienen edulcorantes químicos dudosos hechos por el hombre que tienen un historial no probado. Muchos estudios apuntan a la posibilidad de las propiedades cancerígenas de estos edulcorantes artificiales. ¡Carcinogénico significa el CÁNCER – MALAS cosas!

La investigación sugiere además que estos productos químicos pueden arrojar los procesos metabólicos naturales de su cuerpo. Interrumpir estos procesos podría hacer que el cuerpo almacene grasa en lugar de quemarla, y puede aumentar los riesgos de diabetes y enfermedades cardíacas. Y por si eso no fuera suficiente, aún más investigación muestra que aquellos que beben refrescos dietéticos de forma regular consumen más calorías, lo que a su vez agrega más peso. Sácalos de tu refrigerador ahora. Ni siquiera se los des a tu peor enemigo.

Aquí en el Sur, es costumbre beber mucho té dulce, pero, en resumen, el té dulce tiene demasiado azúcar. Realmente no me importa la parte del té, pero es la parte "dulce" que no es buena para nosotros. Trate de añadir stevia (un edulcorante natural) a su té o, mejor aún, tratar de acostumbrarse a su té sin nada añadido ... Bueno, estaría bien con un chorro de limón, ¿de acuerdo?

Tengo las mismas recomendaciones exactas para el café. Bébelo en negro si puedes, o intenta añadir un poco de Stevia si es necesario. Para "crema" probar un poco de crema de coco u otra crema alternativa, pero, la verdad sea dicho, ninguno de ellos es realmente tan bueno para nosotros tampoco. Aquí hay otra cosa sobre el café. Lo mejor es ir con el café orgánico ya que los países que cultivan los frijoles utilizan productos químicos sospechosos. Orgánico no cuesta mucho más, pero siempre es mejor conseguir alimentos lo más limpios y naturales posible y el café es uno de esos alimentos que es lo suficientemente importante como para ir orgánico. Y todos sabemos que el café tiene un poco controvertido químico, la cafeína, en él. Esto es similar al vino tinto (que contiene resveratrol) que ha demostrado ser beneficioso para el corazón, sugiero mantenerlo con moderación. Qué tal una taza de café al día... UN VASO, ¿verdad? Eso no significa un Venti, Caramel Macchiato, descremada, trago extra, extra calienta, extra crema batida, ni sin Azúcar, ¿Verdad?

Suplementar o no suplementar, esa es la pregunta.

Comer una dieta bien balanceada debería proporcionarnos todos los nutrientes esenciales, vitaminas, enzimas, probióticos, minerales y oligoelementos, ¿verdad? Bueno, esto puede haber sido cierto antes de la Primera Guerra Mundial y ciertamente en el tiempo de Jesús, pero hoy en día, en el mundo moderno, cuando arrojamos fertilizantes a base de petróleo y químicos en nuestro suelo, no va a suceder.

Verá, después de la Primera Guerra Mundial, teníamos todo este petróleo sentado en abundancia (es por eso que el gas solo costaba $ 0.20 / galón) y nos preguntamos qué podríamos hacer con él. Bueno, los científicos también tuvieron que lidiar con el tazón de polvo que resultó de los agricultores que cultivaron los suelos en el centro de América. Combine eso con las sequías, se sabe que las nubes de polvo soplan hasta la costa este. Nos quedamos con cien millones de acres de tierra que apenas cultivaron una maleza. Los científicos descubrieron que las plantas necesitan 3 elementos básicos: nitrógeno, fósforo y potasio para crecer. Resulta que los fertilizantes sintéticos podrían suministrar estos nutrientes en grandes y baratas cantidades.

El científico moderno sabe que, si bien una planta puede sobrevivir con esos tres elementos, el humano necesita comer plantas (y los animales que comen esas plantas) que crecen orgánicamente, lo que proporcionará todos los elementos, minerales y nutrientes necesarios para prosperar. Habiendo dicho todo eso, creo que en nuestros mundos modernos y sobreexplotados, debemos complementar, así que pasemos la discusión a ese rompecabezas. centro One-a-Day®, Centrum Silver® y similares son los suplementos más recetados y recomendados en los Estados Unidos. No es de extrañar cuando uno se da cuenta de que el gigante farmacéutico Pfizer es el fabricante de productos Centro. Con el mismo acceso a los médicos en todo Estados Unidos, los representantes distribuyen centro® como el caramelo Pez y los médicos luego entregan estas vitaminas a sus pacientes.

Pero, ¿qué tan buenos son Centrum® y otras vitaminas no alimenticias para nosotros? En resumen, para nada. Es mejor que tragues piedras una vez al día porque son básicamente cócteles químicos que están hechos con algunas de las vitaminas y minerales de menor grado conocidos por los científicos. Absorción es el nombre del juego cuando se trata de vitaminas. Al igual que el pan, no es lo que hay en el suplemento lo que importa; lo que tu cuerpo puede hacer con el suplemento es lo que importa. Tu cuerpo los expulsa de inmediato. Son tan poco absorbibles que su cuerpo ni siquiera los descompone para digerirlos. Básicamente, son una colosal pérdida de dinero. Hay muchas otras opciones mejores que recomendaría, y cualquiera que elija, debe basarse en "alimentos integrales". Como su nombre lo indica, "alimento integral" significa que, en lugar de productos químicos desagradables que se producen en un laboratorio en alguna parte, estas vitaminas se derivan de alimentos que realmente se pueden comprar en una tienda de comestibles.

Alimentos orgánicos como espirulina, remolacha, brócoli, col rizada, espinacas, moras, arándanos, zanahorias, arándanos, etc. Su cuerpo los reconoce como alimentos y los absorbe mucho, mucho mejor que los químicos. Algunas de mis marcas favoritas en ningún orden en particular son; Rainbow Light®, New Chapter®, Garden of Life® y Srtandard Process®.

Cuando se trata de suplementar con vitaminas y

minerales, obtienes lo que pagas y te recomiendo no escatimar en estas compras. Sí, pagará más por las versiones de alimentos integrales orgánicos, pero con los productos químicos alternativos mencionados, de todos modos no los está absorbiendo, por lo que también podría optar por las cosas buenas. ¿Mi opinión sobre la suplementación, especialmente para la neuropatía periférica? Aquí tienes:

- Un excelente multivitamínico / mineral a base de alimentos integrales orgánicos enumerados anteriormente,
- Un suplemento que ayuda a convertir el óxido nítrico,
- Vitamina D3 adicional (habrá algo en el multi, pero asegúrese de obtener al menos 2,000 UI combinadas por día)

En la siguiente sección, entraré en más detalles sobre estos suplementos y algunos otros y cómo incluirlos en su dieta regular.

Óxido Nítrico y el Premio Nobel

Esta molécula se forma naturalmente en nuestro cuerpo y se conoce como vasodilatador, lo que significa que ayuda a relajar los vasos sanguíneos, haciéndolos más grandes y más fáciles de atravesar. La investigación de su función condujo al Premio Nobel de 1998 por descubrir el papel del óxido nítrico como molécula de señalización cardiovascular. Es muy importante para apoyar el sistema cardiovascular relajando y dilatando las arterias, lo recomiendo para casi todos mis pacientes con neuropatía. Una mejor circulación equivale a tejidos más saludables como los nervios.

Ahora, no puede simplemente comprar óxido nítrico, ya que se forma dentro de las arterias, sino que ciertos aminoácidos como la L-arginina, la L-citrulina y otras vitaminas como la vitamina D3 funcionan de manera sinérgica para aumentar la producción natural de óxido nítrico.

La vitamina D, calciferol, ayuda a nuestros cuerpos en la absorción de calcio. La vitamina D también aumenta la densidad ósea y ayuda a prevenir fracturas óseas. Además, el calcio ayuda a regular el sistema inmunitario y protege contra algunos tipos de cáncer. La deficiencia de vitamina D se ha relacionado con cáncer, diabetes, osteoporosis, artritis reumatoide, enfermedad inflamatoria intestinal, esclerosis múltiple y autismo. Entonces, es una vitamina bastante importante, ¿no le parece? Esa es la razón principal por la que recomiendo complementarlo todos los días a menos que su médico ejecuta un análisis de sangre y determina que sus niveles son óptimos (sólo es probable que si a menudo trabaja y / o jugar al aire libre).

Los humanos pueden sintetizar su propia vitamina D; todo lo que se necesita es un montón de luz solar regular. Las personas en climas cálidos que a menudo trabajan o juegan al sol rara vez tienen problemas de vitamina D. Son nuestros vecinos del norte y aquellos de nosotros que estamos en el interior la mayor parte del día que sufrimos. Combine esto con abrigarse en las estaciones más frías, el miedo a las fobias del cáncer de piel que nos harán bañarnos en protector solar 24/7, 365, y tenemos la tormenta perfecta para tener una nación entera que es lamentablemente deficiente en esto muy importante vitamina (estimado en 70-85% de nosotros). Es una vitamina muy barata para comprar e incluso probé las que se venden en CVS y Walmart y descubrí que son lo suficientemente buenas. ¿Cuánto cuesta? Depende de muchos factores, pero como punto de partida, tendría a todos mis pacientes mayores de 12 años en al menos 2,000 UI (unidades internacionales) por día.

Vitamina B12

Pero una vaina que rodea nuestros nervios está hecha de una sustancia llamada mielina. Algo así como el aislamiento que cubre los cables en nuestros hogares. Es necesario ayudar a que los nervios funcionen correctamente y cuando está dañado o puede faltar la neuropatía. Vitamina B12, que debemos obtener de nuestra dieta, es necesaria para la creación y preservación de esta vaina. Demasiado poco B12 y sufrió neuropatía periférica (y otros problemas también). Se estima que entre el 10% y el 25% de las personas mayores de 80 años pueden tener una deficiencia de vitamina B12, por lo que se recomienda controlar sus niveles. Con un simple análisis de sangre, su médico puede ejecutar. No es que quiera obtenerlo, pero aquí hay una lista de excelentes maneras de contraer deficiencia de vitamina B12.

- alcoholismo
- dietas vegetarianas o veganas
- ciertas enfermedades autoinmunes
- anemia perniciosa o inexplicable
- enfermedades pancreáticas
- resección ileal
- síndrome del intestino irritable o enfermedad de Crohn
- infección por VIH
- Gastritis
- cirugías gástricas o del intestino delgado
- síndromes de malabsorción
- esclerosis múltiple
- antagonistas del receptor de histamina 2 o
- inhibidores de la bomba de protones otros medicamentos de venta libre y recetados

Aquí están tus mejores fuentes de B12:

- carne roja
- productos lácteos
- peces
- aves y huevos
- Las inyecciones de B12 a veces son necesarias
- Un excelente multivitamínico / mineral a base de alimentos integrales orgánicos

¿Qué son los radicales libres?

Thomas Jefferson, Benjamin Franklin, Thomas Paine y John Hancock fueron todos radicales que querían la libertad de nuestro país, pero no los "radicales libres" que se mencionan en esta sección. En el cuerpo humano, los radicales libres se forman cuando un electrón en un átomo no se empareja y busca otro electrón para emparejarse. Puede parecer un evento insignificante, pero esta búsqueda de otro átomo no apareado causa daño a nuestras células y una reacción en cadena que crea más radicales libres.

La vida diaria nos expone a los radicales libres todo el tiempo, desde los alimentos que comemos hasta el aire que respiramos. Los radicales libres causan enfermedades como la neuropatía periférica y contribuyen al proceso de envejecimiento. Tienen un impacto negativo en cómo nos vemos y sentimos. Los radicales libres ocurren en la vida cotidiana, pero empeoran por:

- comer una dieta llena de alimentos procesados y productos tratados con productos químicos

- de fumar

- uso de medicamentos (recetados y de venta libre)

- no tratar correctamente el estrés

- exposición excesiva al sol

- contaminación

El daño de los radicales libres puede conducir a:

- cáncer

- enfermedad del corazón

- diabetes

- artritis

- Enfermedades autoinmunes

- neuropatía periférica

Una cosa que podemos hacer para combatir los radicales libres es obtener más antioxidantes en nuestras dietas. Los antioxidantes son vitaminas, minerales y otros nutrientes que protegen el cuerpo y combaten los radicales libres. Dan a los radicales libres un electrón para emparejar antes de que los electrones perdidos puedan dañar nuestras células. Algunos ejemplos de antioxidantes son el betacaroteno, la vitamina C y la vitamina E. Estas vitaminas también ayudan a fortalecer el sistema inmunológico. Además, ¡están fácilmente disponibles en muchos alimentos de origen vegetal que deberíamos consumir más de todos modos!

Daré ejemplos de cómo incorporar más antioxidantes en su sistema a continuación, pero si solo sigue las recomendaciones de dieta que expuse anteriormente y varía su ingesta de alimentos (especialmente sus frutas y verduras), no tendrá que obtener un título en ciencia de la nutrición o memorice esta lista. Pero, para aquellos de ustedes que estén interesados en el tema, aquí está la lista.

Betacaroteno

El betacaroteno es uno de un grupo de pigmentos rojos, naranjas y amarillos llamados carotenoides. El beta caroteno y otros carotenoides proporcionan aproximadamente el 50% de la vitamina A necesaria en nuestra dieta diaria.

El betacaroteno es una sustancia que el cuerpo convierte en vitamina A. Es un poderoso antioxidante que también ayuda a proteger las células y estimular el sistema inmunológico. Las fuentes de este importante nutriente incluyen:

- zanahorias

- calabazas

- patatas dulces

- Espinacas

- Coles

- col rizada

- hojas de nabo

- hojas de remolacha

- calabaza de invierno

- repollo

Si prefiere obtener su vitamina A directamente en lugar de a través de la conversión de betacaroteno, coma más:

- carne de vaca

- brócoli

- Cantalupo

- albaricoques

- hígado

- huevos enteros

Vitamina C

La vitamina C es otro antioxidante que fortalece el sistema inmunológico. Es vital para el crecimiento y la reparación de la piel, los vasos sanguíneos, los ligamentos y los tendones. También está involucrado con la curación de heridas y la formación de tejido cicatricial.

Además, la vitamina C es importante para la formación de colágeno, que mantiene unidas las células del cuerpo. Y juega un papel importante en el mantenimiento de la salud oral y ocular.

Muchas frutas son excelentes fuentes de vitamina C, incluyendo:

- Cantalupo

- naranja

- frutas cítricas

- kiwi

- Mango

- guayaba

- papaya

- piña

- bayas

- sandía

También puede obtener vitamina C de las verduras, como las verduras crucíferas (brócoli, coliflor y coles de Bruselas), pimientos, verduras de hoja verde, papas, tomates y calabaza.

Vitamina E

El tercer antioxidante que nos preocupa es la vitamina E. Este nutriente ayuda a ensanchar los vasos sanguíneos y evita que la sangre se coagule dentro de ellos. Los alimentos ricos en vitamina E también protegerán su piel de la luz ultravioleta, que es una de las principales causas de formación de radicales libres en el cuerpo.

Excelentes fuentes de vitamina E incluyen:

- Espinacas

- acelga

- hojas de nabo

- Hojas de mostaza

- pimienta de cayena

- espárragos

- Pimientos

- huevos

- nueces y semillas

- carnes

- aceite de oliva

- granos enteros

Los siguientes (Magnesio, Calcio y Hierro) son realmente minerales, pero juegan un papel muy importante en muchas reacciones antioxidantes, así como en muchas funciones cruciales del cuerpo...

El **magnesio** no solo es un mineral esencial, sino que es responsable de más de 300 funciones corporales saludables. También es el mineral más deficiente en la dieta estadounidense estándar porque puede ser difícil cumplir con los requisitos diarios solo de los alimentos. Menos del 30% de los adultos estadounidenses consumen la cantidad diaria recomendada de magnesio y casi el 20% de nosotros obtenemos solo la mitad del magnesio que necesitamos diariamente para mantenernos saludables...

Para asegurarse de obtener suficiente magnesio en su dieta, verduras, nueces, semillas, chocolate negro y mariscos.

El **calcio** es el mineral más abundante en su cuerpo. Es responsable de dientes y huesos fuertes, así como de la función adecuada de los vasos sanguíneos, la comunicación nerviosa y los músculos. Muchos estadounidenses sufren de una deficiencia de calcio. Perdemos calcio todos los días a través de nuestra piel, uñas, cabello, sudor y desechos.

Para asegurarse de obtener suficiente calcio en su dieta, asegúrese de consumir:

- Espinacas

- brócoli

- col rizada

- col china

- salmón

El **hierro** es importante para la producción de hemoglobina (que se encuentra en los glóbulos rojos) y mioglobina (que se encuentra en los músculos). Estas proteínas transportan y almacenan oxígeno en todo el cuerpo. Cuando no tienes suficiente hierro en tu cuerpo, te sientes cansado, débil e incapaz de concentrarte. Pocas personas tienen demasiado hierro en el cuerpo, pero esta rara condición es tóxica.

Excelentes fuentes de hierro incluyen:

- carne roja

- hígado

- yemas de huevo

- verduras de hoja verde

- frutas secas

- mariscos

- frijoles

- lentejas

- alcachofas

Combinar alimentos ricos en hierro con alimentos ricos en vitamina C ayudará a su cuerpo a absorber mejor el hierro.

Es difícil combinar todo el tema de la nutrición en un solo capítulo, pero, para la neuropatía periférica, he enumerado los problemas más importantes. Básicamente, coma una dieta realmente buena y limpia y tome algunos suplementos para llenar los vacíos. Ah, y bebe mucha agua.

CAPÍTULO 7

Terapia De Luz De Bajo Nivel

Estudio práctico (la neuralgia occipital es una forma de neuropatía)

Llamé porque estaba teniendo problemas con dolores de cabeza severos, mareos, vértigo, náuseas, reflujo ácido, fatiga y ¡solo tengo 31 años! Fui a un par de médicos y me recetaron medicamentos, y no estaban haciendo nada. Es triste aquí de parte de un médico que vas a tener que aprender a vivir con él y simplemente rendirte.

Después del programa de neuropatía del Dr. Prax, todo está mucho mejor. Mi reflujo ácido ha mejorado por completo, no he tenido dolor de cabeza, no sé cuánto tiempo, he perdido alrededor de 13 libras y 2 "de mi barriga. Creo que el mareo / vértigo y las náuseas fueron todos efectos secundarios de los medicamentos y como ya no los tomo, no hay más de esos síntomas.

Iré a la feria mañana. Eso es algo que el año pasado en este momento nunca hubiera imaginado hacer. Ahora ni siquiera lo pienso dos veces antes de hacer cosas como salir con mi esposo, limpiar la casa o ir al parque y pasear a mi perro ... Quiero decir, mi cuerpo es capaz. Esto puede parecer algo simple, pero para mí, es mi vida ... lo recuperé. Es simplemente maravilloso. Estoy viviendo de nuevo. Ana M.

Creando la circulación más óptima

¿Recuerdas la analogía que discutí en el Capítulo 5? El de las plantas de interior que estaban en serios problemas después de unas largas vacaciones. Discutimos el instinto de supervivencia, conocido como "inteligencia innata", que poseen todos los organismos vivos. La conclusión fue esta: puede ayudar mejor a la planta dándole lo que necesita, apartándose del camino y permitiendo que la naturaleza se haga cargo. Entonces tuvo una muy buena oportunidad de curarse, ¿verdad? Lo mismo es cierto para otros organismos como los humanos, y sus nervios marchitos llamados neuropatía. Solo necesitamos darle a ese cuerpo lo que necesita. Una de las cosas más importantes que un cuerpo necesita para revertir la neuropatía es un gran flujo de sangre al área dañada. Si hay poca circulación en sus pies o manos, entonces no hay forma de que los nervios de esa región puedan sobrevivir, y mucho menos sanar. Muchas de las siguientes afecciones primarias causan mala circulación, lo que puede conducir a neuropatía periférica.:

- diabetes

- enfermedad vascular periférica (también conocida como enfermedad arterial periférica)

- aterosclerosis

- venas varicosas

- obesidad

- Síndrome de Raynaud

Si no está recibiendo un flujo sanguíneo adecuado a esos nervios, entonces no están recibiendo los nutrientes que necesitan para funcionar. ¿No hay suficientes nutrientes como glucosa y oxígeno? Los nervios mueren. Y eso se llama neuropatía. Los nervios que se están muriendo envían señales al cerebro de dolor, ardor y hormigueo. En algunos casos, se produce entumecimiento: no llegan señales sensoriales al cerebro y no puede sentir nada. Ahora, si el cerebro no puede detectar sus propios pies, le dificultaría el equilibrio, ¿verdad?

Además de los suplementos que se mencionaron en el Capítulo 6, la terapia de luz de bajo nivel (TLBN, también conocida como terapia de luz infrarroja) estimula ese tan importante óxido nítrico. ¿Recuerdas esa molécula? Es el que relaja (o dilata) las arterias, estimula el crecimiento capilar y, por lo tanto, aumenta el flujo sanguíneo.

La fuerza motriz de la célula

En nuestro nivel más básico, está la célula humana, y dentro de esa célula, hay pequeños "orgánulos" pequeños que tienen diferentes trabajos. En el que nos centraremos aquí se llama mitocondrias. Es conocido como el "centro neurálgico" de la célula. Su trabajo es generar energía para que podamos hacer cosas. Esta energía se llama trifosfato de adenosina, también conocido como ATP. El ATP es el combustible que utilizan todas las células humanas. La siguiente parte es muy importante, así que sigue. Para producir ATP, las mitocondrias deben tener dos ingredientes principales: glucosa y oxígeno, los cuales son transportados a las células a través del flujo sanguíneo. Resulta que las mitocondrias son muy sensibles a la luz y particularmente a la luz infrarroja. La profundidad de penetración de la luz solar es de 2-10 mm. La luz infrarroja (no visible para nuestro ojo) penetra hasta 100 mm (es decir, hasta 4 pulgadas) de profundidad.

La estimulación de las mitocondrias aumenta su actividad, lo que aumenta el combustible necesario para reparar las células. ¡Es algo bueno! Cuando aumentamos la circulación con LLLT junto con el suplemento de óxido nítrico, estamos dando a las mitocondrias los ingredientes que necesita para hacer el combustible para curar esos nervios...

Aquí hay otros beneficios del óxido nítrico:

- antiinflamatorio

- ayuda en la regeneración de tejidos

- reducción del dolor

- aumenta la circulación localizada

- baja la presión arterial

- reduce la angina

- ayuda a revertir la disfunción eréctil (Viagra, Cialis y Levitra funcionan en las vías de óxido nítrico para aumentar el flujo sanguíneo al pene y mejorar sustancialmente las erecciones)

- Protección contra la demencia y otros trastornos neurodegenerativos.

- mejora la digestión

- mejora la señalización de insulina

- mejora la remodelación ósea

- mejor función respiratoria

- mejora la utilización de ATP (energía)

¿Qué papel desempeña TLBN en el tratamiento de la neuropatía periférica?

Debido a que TLBN (Terapia de luz de bajo nivel) estimula la regeneración celular, desempeña un papel vital en un plan de tratamiento completo para pacientes con neuropatía periférica. TLBN ayuda a que los nervios dañados y sus vasos sanguíneos circundantes vuelvan a crecer, mejorando gradualmente la sensación y la función del paciente. Actualmente no hay medicamentos en el mercado que puedan ayudar al cuerpo a curarse de esa manera. Además, a diferencia de prácticamente todos los medicamentos, no hay absolutamente ningún efecto secundario asociado con TLBN. El área puede sentirse cálida o con hormigueo durante el tratamiento, pero no hay otras sensaciones físicas reportadas de pacientes con TLBN.

Cuando un paciente visita nuestra oficina para el tratamiento de la neuropatía periférica, aplicamos botas TLBN alrededor de las manos, los pies o ambos y dejamos que la máquina administre el tratamiento durante un período de tiempo específico. Algunos de nuestros casos moderados y graves y / o casos remotos recibirán tanto el suplemento como la mejor unidad TLBN para usar en casa. Los pacientes pueden recibir tratamientos diarios y, a veces, dos veces al día.

CAPÍTULO 8

Electroterapia

Caso praáctico

Cuando Sheree se acercó a nosotros por primera vez, informó que le dolían los dolores punzantes y ocasionales, dolores punzantes y calambres en las piernas y los pies. También tuvo problemas con la hinchazón y el dolor lumbar por una caída de años antes.

Sheree era una persona muy activa que estaba de pie todo el tiempo y dijo que no era del tipo de persona que se sentaba, a pesar del dolor. Ella se quejó de que incluso cuando no estaba de pie, todavía le dolían toda la semana. La estaba despertando 3-4 veces por noche y estaba tomando Tylenol y Benadryl para intentar dormir.

Seis semanas después de que ella comenzó el programa, Sheree informó que el programa, "especialmente el ReBuilder®", estaba ayudando significativamente. En esa reevaluación, ella informó una mejora del 45%.

Unas semanas después, en un viaje de fin de semana a la ciudad de Nueva York con su hija, dejó la dieta y dejó de usar el ReBuilder®. Ella razonó que se sentía mucho mejor y, con esta nueva oportunidad de vida, ¡se divertiría! El lunes siguiente se lamentó de que estaba "de vuelta al punto de partida". Todo ha vuelto ".

Bueno, según mi sugerencia, ella "volvió a subir a la silla de montar", volvió a ponerse a dieta y reanudó sus terapias. Semanas después ella tenía esto que decir. "Cuando comencé aquí, tenía un dolor extremo ... estaba en el fondo. No podría estar peor. Hacer tu programa ha marcado una gran diferencia en mi vida. Sé que solo voy a seguir mejorando. Perdí más de 20 libras y me siento mucho mejor. Estoy durmiendo durante toda la noche sin ningún medicamento ahora. Me siento 10 veces mejor, de espaldas y en todos los sentidos.

Sheree sirve como un gran ejemplo de la importancia de apegarse al programa y, incluso si se "cae del caballo", solo necesita volver a subir y dar un paso a la vez.

De buenas a primeras, vamos a sacar una cosa del camino: esto no se parece en nada a la práctica de la terapia de electrochoque que se usó en los asilos hace décadas. Por otro lado, es más emocionante que el procedimiento de electrólisis que puede eliminar el vello corporal no deseado.

Con pocas excepciones, prescribo una herramienta que realmente estimula el crecimiento de los nervios que se están muriendo por la neuropatía periférica. He probado muchas herramientas similares, pero una y otra vez, sigo volviendo al ReBuilder®. Es un dispositivo aprobado por la FDA que fue diseñado específicamente para tratar el dolor, ardor, entumecimiento y hormigueo asociados con la neuropatía periférica. De hecho, Los Centros de Tratamiento del Cáncer de América®, Johns Hopkins, Escuela Médica de Harvard, Clínica de Cleveland, Memorial Sloan Kettering Cáncer Centers y otros utilizan ReBuilder®

para aliviar a la neuropatía inducida por quimioterapia de sus pacientes. Lo utilizamos de manera efectiva desde 2010, y nos ha funcionado muy bien..

¿Qué hace el ReBuilder®?

Cuando se enciende por primera vez, su ReBuilder® evalúa el estado eléctrico de su cuerpo y luego se configura para su seguridad. Puede diferenciar entre una mujer de 100 libras y un atleta de 300 libras. Por lo tanto, es autolimitante.

Luego envía una señal nerviosa saludable de pie a pie (o mano a mano) y luego se queda en silencio para escuchar la respuesta autogenerada a esa señal que el cuerpo envía a su cerebro. Copia y evalúa esa señal (disfuncional) y la compara con una señal adecuada y crea una señal de compensación personalizada, como lo hace un marcapasos para la señal de su corazón. Luego envía esta señal 7,83 veces por segundo para persuadir suavemente los nervios y volver a aprender cómo enviar una señal saludable que pueda llegar al cerebro.

Esta es una señal muy lenta que relaja el cerebro y lo

alienta a liberar endorfinas que viajan por todo el cuerpo a través del torrente sanguíneo para ayudarlo a relajarse, reducir el dolor en otras partes del cuerpo y ayudarlo a dormir por la noche. Los impulsos nerviosos viajan más de 240 millas por hora, por lo que hay una fase de reposo relativamente grande entre cada señal ReBuilder® para permitir que los nervios absorban oxígeno y otros nutrientes...

El ReBuilder® evalúa sus nervios disfuncionales y crea una señal de compensación (como un auricular con cancelación de ruido Bose) 7.83 veces por segundo porque sus nervios comenzarán a sanar durante el tratamiento de 30 minutos.

El ReBuilder® también estimula los músculos de la pantorrilla cercanos para estimular la bomba de músculo venoso para aumentar el flujo sanguíneo local mientras fortalece esos músculos para evitar la atrofia muscular en desuso. Esta acción tiene un segundo beneficio, ya que el aumento del flujo sanguíneo (a toda la mitad inferior de su cuerpo cuando trata los pies) causa un "estrés por cizallamiento" beneficioso como resultado del aumento de la velocidad dentro de las venas y esta acción libera grandes cantidades de óxido nítrico , que abre los capilares para aumentar el flujo sanguíneo y estimular la angiogénesis (el desarrollo de nuevos vasos sanguíneos). Cuando se usa junto con las luces de bajo nivel que discutí en el capítulo anterior, se pueden lograr resultados aún mejores.

Cuando se usa simultáneamente con el baño de pies con agua tibia, el agua tibia expande los vasos sanguíneos de los pies y los tobillos (vasodilatación) para permitir que más sangre llegue a los nervios y la piel. Esto es especialmente beneficioso para las personas que padecen diabetes. El ReBuilder® tiene un temporizador incorporado que se apaga después del relajante tratamiento de 30 minutos..

¿Cuáles son los beneficios del tratamiento ReBuilder®?

Los tratamientos diarios de ReBuilder® de treinta minutos en su hogar pueden reducir significativamente la cantidad de analgésicos necesarios para tratar un síndrome de dolor agudo. Esto es especialmente deseable considerando que todos los medicamentos tienen efectos secundarios y muchos de ellos son síntomas de neuropatía. Cuantos menos medicamentos tome, menos efectos secundarios, ¡una gran cosa!

ReBuilder® también aumenta el flujo sanguíneo, fortalece los músculos y mejora la transmisión de señales dentro del sistema nervioso, y cuando los pacientes experimentan menos dolor por la noche, tienden a dormir mejor por la noche. Esto les permite funcionar mejor durante el día y promueve la reparación y regeneración celular durante sus horas de descanso.

Los efectos de este método de tratamiento son acumulativos, lo que significa que cuanto más tiempo continúe usándolo, mejores serán los resultados que verá.

En los casos moderados y severos, recomendaré una unidad en el hogar para que mis pacientes puedan llevar la unidad a su casa y usarla diariamente. Tengo algunos casos muy graves que realmente lo usaré 2 o 3 veces al día. A medida que avanzan a través de más y más tratamientos, su condición mejora y la necesidad de electroterapia se reduce.

Ya sea que su neuropatía periférica sea un efecto secundario de las estatinas, el tratamiento de quimioterapia, la diabetes o cualquier otra de las más de 100 causas conocidas, ReBuilder® puede ayudar a restaurar la función y la sensación en su sistema nervioso periférico.

Tenga en cuenta que mi enfoque es muy completo y está diseñado para cuidar la mayor cantidad posible de "pajitas en la espalda del camello". He consultado con muchos pacientes que llegaron frustrados porque probaron el Rebuilder (y otros productos disponibles en línea) solo para descubrir que no ayudaba en absoluto. El ReBuilder® es increíble, pero es solo una pieza en el rompecabezas de nuestro innovador programa. Creo firmemente que un enfoque más completo de la neuropatía es un plan de acción más inteligente. Es por eso que prescribimos electroterapia, terapia de luz de bajo nivel, terapia basada en el cerebro, nutrición y terapia de vibración a nuestros pacientes que luchan por controlar su dolor y vivir una vida activa como desean.

CAPÍTULO 9

Terapia Basada En El Cerebro

Caso práctico

Aquí hay un caso en el que Sherlock Holmes podría haber sido útil. Susan, una mujer relativamente joven y saludable (48 años) que hacía ejercicio regularmente y observaba cuidadosamente su dieta, se presentó en mi consultorio con terribles síntomas de neuropatía periférica (entumecimiento y dolor severos al mismo tiempo).

Además, experimentó frecuentes dolores de cabeza por migraña, dolor lumbar, dolor de cuello, síndrome del intestino irritable, ERG y anemia perniciosa. Ella admitió que fumaba 1/2 paquete al día y rara vez bebía alcohol.

Esta pobre alma estaba súper motivada para recuperarse. Los médicos la tomaron en cinco medicamentos diferentes para sus diversos síntomas y ella se inyectaba diariamente B12 con la ESPERANZA de CUALQUIER alivio. Ella había estado en más de un puñado de médicos, ninguno de los cuales fue capaz de resolverlo. Lo llamaron "neuropatía idiopática", y estuve de acuerdo. Tampoco pude encontrar una causa, pero definitivamente ella tenía neuropatía. Su índice de puntuación de Toronto indicó una pérdida del 55% de los nervios sensoriales en sus pies.

Aunque no pude encontrar una causa, decidimos comenzarla con nuestros protocolos de neuropatía totalmente naturales. Ella los siguió a todos perfectamente. Cambió por completo su dieta, dejó de fumar, dejó de beber y usó las terapias en el hogar exactamente como se le indicó. En un mes, su SII y ERGE habían mejorado significativamente, había perdido 13 libras, el dolor en los senos había desaparecido y su dolor de espalda había mejorado, pero el dolor en el pie seguía ahí ... no había cedido en absoluto.

En este punto, era hora de sacar mi sombrero Sherlock Holmes de doble visera y cuadros e ir a trabajar. Tras más preguntas, descubrí que alrededor de 3 años antes, la habitación en la que ella había estado trabajando fue remodelada. "¿Por qué?", Pregunté (las remodelaciones pueden dejar productos químicos desagradables de cosas como pintura, alfombras y pegamentos). Resulta que había una fuga lenta de agua de la unidad de aire acondicionado y, como resultado, el piso de madera se estaba doblando.

Esto estaba justo al lado de donde Susan estaba sentada 8 horas al día. Quería que su empleador tirara algunas tablas del piso y placas de yeso para ver si había algún moho, pero ella se mostró muy reticente a pedirle a su jefe que pasara por todos esos problemas.

Finalmente pudo hacer que el encargado de mantenimiento lo inspecciona levantando el respiradero del calentador. Cuando él informó "nada", todavía estaba escéptico. Realmente necesitaba una investigación exhaustiva, pero ¿qué pasaría si sacaran las tablas del piso y la placa de yeso y volviera a estar claro? Era mucho pedir, pero la salud y la vida de Susan dependían de ello.

Había otra manera, le expliqué. Podríamos hacer un análisis de sangre, que es lo que terminamos haciendo. ¿Adivina qué? Volvió positivo para el moho. No pudimos identificar qué filamento de moho ni siquiera de dónde provenía, pero su cuerpo definitivamente estaba reaccionando a él. Inmediatamente se mudó a otro espacio en la oficina y la derivaron a un especialista en moho natural donde la . pusieron en un programa de desintoxicación. Aprendí una valiosa lección en este caso.

Aunque no fui yo quien finalmente la liberó de su neuropatía, fui quien fue capaz de encontrar la causa subyacente de su neuropatía. Ninguno de sus medicamentos NUNCA eliminaría la toxicidad del moho que inhalaba, día tras día. ELLA necesitaba ser removida de la fuente y luego el molde necesitaba ser removido de su cuerpo.

¿Moraleja de la historia? ALGUIEN DEBE

encontrar la causa subyacente de la neuropatía o NUNCA se resolverá. Caso cerrado.

La terapia basada en el cerebro (BBT, por sus siglas en inglés) es una técnica curativa increíblemente poderosa y totalmente natural que se utiliza para restaurar a las personas a su estado óptimo de salud.

¿Cómo trabaja el cerebro?

Su cerebro controla y coordina todas las funciones del cuerpo. La mayoría de las personas han aprendido que el lado izquierdo del cerebro controla el lado derecho del cuerpo. Además, el lado derecho del cuerpo alimenta información sensorial al lado izquierdo de su cerebro y, por supuesto, el lado izquierdo del cuerpo alimenta información sensorial al lado derecho del cerebro. Aquí es donde se vuelve un poco confuso. Cuando las personas se refieren al "cerebro", generalmente hablan de las partes más grandes llamadas Cerebrum.

Bueno, también hay otras partes y, para este libro, solo necesitamos saber sobre dos de esas partes. Debemos hablar sobre el cerebelo. El cerebelo controla el MISMO lado del cuerpo, no se cruza al otro lado. Además, habla con el Cerebrum, pero, confundidamente, está "conectado" al lado OPUESTO del Cerebrum. Cuando funciona normalmente, el cerebelo, que se encuentra en la parte posterior, en la parte inferior de su cráneo, envía mensajes o "incendios" al cerebro del lado opuesto, que, a su vez, "dispara" al tronco encefálico (mesencéfalo, protuberancias y médula). Esto se llama "Brain Loop" y se ve así:

¿Qué significa todo esto? No necesita ser un neurocientífico o realmente necesita comprender exactamente cómo funciona el Brain Loop, pero sí necesita saber esto: su salud, bienestar, vitalidad física, claridad mental y estabilidad emocional están todos directamente relacionados con una función cerebral adecuada: el "circuito cerebral" y parace como esto:

La función del cerebro normal

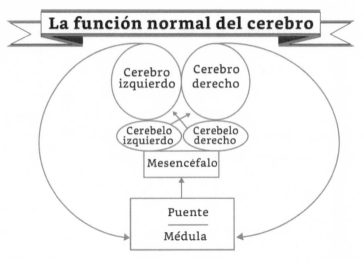

¿Qué significa todo esto? No necesitas ser neurocientífico o realmente incluso necesitas entender exactamente cómo funciona el Bucle Cerebral, pero necesitas saber esto: tu salud, bienestar, vitalidad física, claridad mental y estabilidad emocional están directamente correlacionados con el cerebro adecuado función – el "bucle cerebral."

¿Qué puede ir mal?

Bueno, en una palabra, el estrés ... el estrés físico, químico y emocional afectará negativamente este "circuito cerebral". El estrés no es necesariamente algo malo, sin embargo, es el estrés constante, generalizado e interminable de nuestra cultura lo que es tan perjudicial Demasiado estrés, durante demasiado tiempo, creará una cascada inadecuada de eventos que básicamente se descontrola y conduce a resultados neurológicos, hormonales y otros negativos.

Un ejemplo de esto sería una "disfunción cerebelosa". Si un lado del cerebelo no recibe la entrada nerviosa adecuada del cuerpo, no puede enviar suficiente entrada nerviosa al lóbulo frontal del lado opuesto, que, a su vez, no puede envíe suficiente información al tronco encefálico inferior para evitar que el mesencéfalo (cerebro medio) se dispare en exceso. Se vería así:

La función del cerebro abnormal

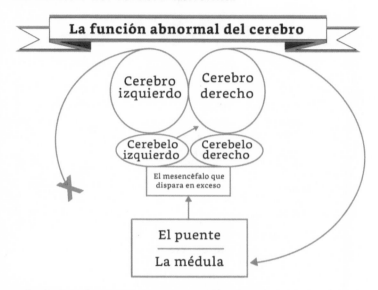

A continuación, una imagen con el título "La función abnormal del cerebro" que muestra: Cerebro izquierdo, Cerebro derecho, Cerebelo izquierdo, Cerebelo derecho, "El mesencéfalo que dispara en exceso", "El puente" y "La médula".

¿Cuál es el trato con el mesencéfalo?

El mesencéfalo (también conocido como mesencéfalo) normalmente es inhibido por el cerebro. En otras palabras, cuando el "circuito cerebral" está intacto, el mesencéfalo se apaga (o se enciende). Sin embargo, una vez que el estrés interrumpe el "circuito cerebral", el mesencéfalo se deja sin controlar. Básicamente, el cerebro se atasca en una respuesta comprensiva (lucha o huida), que es como un acelerador atascado en su automóvil.

A continuación, se presentan algunos de los síntomas de un mesencéfalo que se dispara en exceso...

¿Qué pasa con el cerebelo?

Como se mencionó, otra parte clave del "circuito cerebral" es el cerebelo. Esta es la parte posterior e inferior del cerebro que controla el equilibrio y la coordinación, los músculos posturales de la columna vertebral y ayuda a controlar los movimientos oculares (y mucho, mucho más). Cuando un lado de su cerebelo no se dispara correctamente, puede conducir a una serie de dolencias comunes.

Un cerebelo mal disparado hará que un lado de los músculos posturales esté más apretado que el otro lado. Este tono muscular asimétrico causará desequilibrios en todo el cuerpo. A menudo, las vértebras individuales se bloquearán y se restringirán en su movimiento normal. En consecuencia, se puede desarrollar dolor crónico de espalda y / o cuello, degeneración espinal (artritis), hernia discal y / o ciática. Además, una vez que se descartan las patologías, los mareos crónicos y los trastornos del equilibrio suelen ser el resultado de la disfunción cerebelosa.

¿Cómo arreglas el cerebro?

La neuroplasticidad: la capacidad del cerebro para formar y reorganizar conexiones sinápticas, especialmente en respuesta al aprendizaje o la experiencia o después de una lesión.

La mayoría de nosotros aprendimos en biología 101 que "una vez que un nervio o tejido cerebral ha sido dañado, no se puede regenerar". Bueno, eso no es cierto. La palabra para esto es "neuroplasticidad" y, básicamente, significa que un nervio dañado PUEDE ser regenerado.

Piensa en lo que sucedería si te rompieras el brazo y tuvieras que tenerlo enyesado durante seis meses. ¿Qué pasaría? Tus músculos (y huesos) se atrofiarían, ¿verdad? Se volverían más pequeños y más débiles. Bueno, con los ejercicios correctos, con el tiempo, podrías hacer que vuelvan a crecer. Resulta que exactamente lo mismo puede suceder con los nervios dañados: solo necesita saber cómo hacer ejercicio y, a su vez, estimular los nervios correctamente.

Ahora, vamos a profundizar un poco más en la neurología de la neuropatía periférica. Hay receptores, básicamente terminaciones nerviosas especializadas que sienten cosas del ambiente como calor, frío, presión, vibración, dolor y más que se encuentran en todo el cuerpo. Por definición, las neuronas sensoriales son células nerviosas dentro del sistema nervioso responsables de convertir los estímulos externos del entorno del organismo en impulsos eléctricos..

Los impulsos eléctricos se transportan a través de cables, que llamamos nervios, desde el receptor hasta el cerebro, donde se interpretan como una sensación. Si observamos el pie, por ejemplo, el primer nervio que lleva el impulso desde el receptor se llama nervio periférico y viaja hasta la médula espinal en la parte baja de la espalda, donde se realiza la primera conexión. Algunos de estos segundos nervios se cruzan al otro lado de la médula espinal allí mismo y algunos se cruzan más arriba en el tronco encefálico.

De cualquier manera, todos cruzan al otro lado del cerebro y finalmente terminan en el "lóbulo parietal" en el cerebro. Este lóbulo también se conoce como la "corteza sensorial", esa área del cerebro que es responsable de interpretar estos impulsos eléctricos. Nuestro cerebro decodifica esos impulsos como dolor, vibración, calor, frío, etc. Bastante limpio, ¿eh?

La clave de la neuropatía

Entonces, con esa breve descripción del increíble sistema nervioso, aquí está la conclusión. Cualquiera de las áreas mencionadas podría dañarse. Más a menudo que no, más de uno será dañado. ¿Qué sucede si su médico solo se ocupa de los receptores, pero el nervio periférico en sí está dañado? No te olvides de la médula espinal, el tronco encefálico, el cerebelo e incluso el cerebro mismo. Alguien debe revisar todo el camino, desde los receptores en los pies y las manos hasta el cerebro mismo. Es similar a una manguera que no permite que el agua la atraviesa. Alguien debe verificar toda la longitud de la manguera, no solo en cada extremo.

En los próximos capítulos, analizaré algunas de las muchas modalidades que utilizamos en nuestra clínica para estimular las vías nerviosas completas, y debe saber que las formas de estimular y recuperar los nervios están mejorando y cambiando constantemente. Su profesional debe estar al día con los últimos tratamientos neurológicos y neurológicos.

El desafío de resolver la neuropatía periférica

Hay más de 100 causas conocidas de la neuropatía periférica. Hay tantas cosas diferentes que pueden salir mal que descubrir la causa puede ser todo un desafío. Podría ser un daño real en el receptor, daño en el nervio periférico que transporta la información del receptor, daño en la médula espinal, el tronco encefálico o incluso el cerebro mismo. En realidad, la mayoría de los casos tienen daños en más de una de estas vías nerviosas.

La causa número uno de neuropatía periférica está relacionada con diabetes o problemas de regulación del azúcar en la sangre. Si ese es el único problema, controlar la regulación de la glucosa en sangre es fundamental para corregir el daño nervioso subyacente. Si la causa está químicamente relacionada, como quimioterapia, Agente Naranja, antibiótico, o algún otra receta, entonces eso requeriría una estrategia separada.

¿Qué pasa si, además de todo lo mencionado anteriormente, el paciente también tiene artritis en la parte baja de la espalda; tal vez algo de escoliosis, ¿o incluso un disco abultado? También sería necesario tener en cuenta esas "pajitas adicionales en la espalda del camello". ¿Qué sucede si su neuropatía es causada por su medicamento con estatinas para reducir el colesterol? Bueno, si ese es el caso, entonces mirar el hígado es un componente clave. El hígado es lo que está creando el colesterol, razón por la cual su médico le está recetando el medicamento en primer lugar. La mayoría de estos problemas pueden resolverse o verse muy afectados por modificaciones en la dieta y el ejercicio.

Los médicos generalmente son bastante buenos para diagnosticar la neuropatía periférica y tienen una serie de herramientas de diagnóstico diferentes a su disposición. MRI, EMG, tomografías computarizadas y análisis de sangre son algunas de las herramientas que pueden ayudarlos a identificar exactamente dónde está el problema y qué tan grave es. ¿Pero entonces qué? Entonces, su médico o neurólogo le brinda los resultados de los estudiosy le dice: "Usted tiene neuropatía moderada a severa ensus extremidades inferiores." La mayoría de las veces, mis pacientes quieren decirle al médico: "¡Glee doc., podría haberle dicho eso!" Sin embargo, la verdadera pregunta que deberían hacerse es: "¿Qué podemos hacer conrespecto a esta neuropatía?". la respuesta escasi siempre "más medicación". Sin embargo, para la mayoría de las causas de neuropatía, nunca podrá medicarse para salir de ella.

De todos modos, ¿qué es lo más importante para entender para corregir la neuropatía periférica? Primero y ante todo, debe saber cuál es la causa. Debemos saber qué es lo que está fallando para poder apoyar ese sistema del cuerpo. Número dos, necesitamos establecer expectativas realistas. Algunos casos de neuropatía nunca sanarán al 100%, y algunos casos pueden no sanar en absoluto, ya está demasiado lejos. Para aquellos casos en los que sé que puedo ayudar, comenzamos con una estrategia que simplemente funciona para eliminar la actividad ofensiva.

Si es demasiado azúcar en la sangre, entonces se debe abordar la dieta

Un examen neurológico funcional exhaustivo revelará qué aspecto de su cerebro no está disparando correctamente. Dado que un lado del cuerpo está controlado por el lado opuesto del cerebro (ejemplo: el cerebro derecho controla el lado izquierdo del cuerpo), la mayoría de los tratamientos se administran en un lado del cuerpo para estimular el hemisferio opuesto del cerebro.

Se utiliza un proceso de integración dinámico, seguro, práctico y dinámico para reiniciar, reconectar y restaurar la función cerebral adecuada. También se usan instrumentos y / o ajustes quiroprácticos tradicionales, pero se usan de manera muy precisa ... para estimular la función en la parte afectada del cerebro.

Además, la estimulación visual, auditiva y olfativa, el calor, los movimientos oculares, los ejercicios oculares y otras modalidades se pueden usar para aumentar la activación cerebral.

¿Con qué problemas de salud puede ayudar TBC?

Por favor, comprenda que TBC no es un tratamiento específico para ninguna enfermedad, enfermedad o trastorno. No intentamos curar nada. Nuestra experiencia radica en volver a cablear su cerebro de forma natural y holística y luego salir del camino para que su cuerpo pueda sanar. Sin embargo, una vez que se restablece el "circuito cerebral" y se minimizan los desequilibrios cerebrales ... pueden suceder cosas sorprendentes. La siguiente es una lista de condiciones de salud que las personas han mostrado una mejora significativa con:

- trastornos del equilibrio

- dolor de brazo / hombro

- dolor lumbar / ciática

- abultamiento / hernia discos

- El síndrome del túnel carpiano

- mareo

- distonía

- Síntomas tempranas de Alzheimer

- fibromialgia

- SPI (Síndrome de las piernas inquietas) Dolores de cabeza

- Migraña

- Insomnio Dolor de cadera / codo / pie

- Trastornos de temblor

- Síntomas de señorita

- Dolor de cuello

- Entumecimiento

- Estenosis de la ruleta

¿Quién descubrió TBC?

La terapia basada en el cerebro es un protocolo neurológico clínico funcional desarrollado por el Dr. Fred Carrick, el neurólogo quiropráctico líder en el país y el único compañero neurológico de la quiropráctica. El Instituto Carrick ofrece clases a nivel internacional y ayuda a pacientes de todo el mundo con trastornos neurológicos graves.

Además, el Dr. Andy Barlow, un neurólogo quiropráctico certificado por la junta, de Tupelo, MS, y CEO del Instituto Estadounidense de Neurología Funcional (IENF), ha desarrollado un programa TBC / Neurológico para quiroprácticos en los Estados Unidos que desean continuar con una formación de posgrado. Me certifiqué en 2013 y sigo actualizando mi certificación anualmente.

Hemos estado trabajando estrechamente con el Dr. Barlow y el IENF para garantizar que los pacientes de nuestra oficina puedan beneficiarse de este sorprendente enfoque de la salud en general.

CAPÍTULO 1 0

Terapia De Vibración

Caso práctico

Mi médico me sugirió que llamara al Dr. Prax porque tenía dolor de espalda, dolor en las piernas y dolor en los pies. Conducir y estar de pie fue especialmente doloroso y estar de pie todo el día es lo que hago para vivir. Vi al Dr. Prax y todo su tratamiento fue completamente diferente de todo lo que había visto. Noté una mejora después de la primera sesión. De todas las diferentes terapias que usa, la plataforma de vibración es una de mis favoritas. La energía que siento aumenta desde los pies hasta las piernas y la espalda. Es maravilloso.

Cuando caminas tan rígido y te duele todo el tiempo y tomas las píldoras que puedes tomar para pasar el día, debes buscar otra forma. Gracias a mi médico por enviarme aquí. Lo juro por el programa del Dr. Prax. Es totalmente diferente. Sabio G.

Los proveedores de atención médica, los fisioterapeutas, los terapeutas ocupacionales, los quiroprácticos y los entrenadores personales utilizan la terapia de vibración de todo el cuerpo (TVTC) para una gama sorprendentemente amplia de propósitos. Específicamente, la terapia de vibración es ideal para:

- Aumento de la resistencia muscular, coordinación y fuerza

- Mejor circulación del líquido linfático y la sangre para una mejor curación, energía y salud general.

- mejorar la actividad nerviosa

- aumentar la densidad ósea y combatir la osteoporosis

Aquí hay una historia increíble sobre TVTC y mi suegra. A los 75 años, encontró que sus niveles de densidad ósea eran bastante severos. Desafortunadamente, ella estaba siguiendo el ejemplo de su madre con esta condición debilitante. Los huesos rotos, el dolor de espalda y cadera, la postura encorvada y la disminución de la altura son los síntomas más comunes y no quería tener nada que ver con ninguno de esos.

Su doctor en medicina integrador y listo para usar (Dr. Zach Bush), le recomendó que comprara una unidad de terapia de vibración para todo el cuerpo y que la usara todos los días durante un mínimo de 10 minutos.

Religiosamente, siguió la recomendación durante un año y su densidad ósea fue revisada nuevamente. El Dr. Bush se sorprendió por la poca pérdida ósea que se produjo en todo su cuerpo y cómo, en algunas áreas, ¡en realidad había CRECIMIENTO óseo! Esto es sorprendente porque en la medicina occidental, nadie mejora con la osteoporosis. Incluso los medicamentos para él, como Foso Max, han mostrado poca evidencia de que realmente ayudan a fortalecer los huesos;

Algunas investigaciones muestran que estos medicamentos pueden AUMENTAR el riesgo de fractura. De todos modos, basta con decir que me parece muy útil para la densidad ósea.

Y, hay más: para mis pacientes con neuropatía periférica, la terapia de vibración reduce su dolor, aumenta la circulación, mejora la fuerza y la flexibilidad, y aumenta la energía, la movilidad y el equilibrio. Por supuesto, estos resultados se logran sin medicamentos o cirugía invasiva.

Un estudio reciente mostró que los pacientes con neuropatía periférica diabética (NPD) tienen mucho que ganar con la terapia de vibración. Se observó a los participantes del estudio para determinar qué tan efectiva es realmente la terapia de vibración de todo el cuerpo para tratar el dolor asociado con la NPD. Los participantes del estudio recibieron tres tratamientos de vibración de todo el cuerpo por semana durante un mes. Cada sesión consistió en cuatro rondas de tres minutos de vibración.

Los resultados del estudio demostraron una reducción significativa del dolor en general, y no se observaron efectos secundarios durante el estudio.27 Con menos dolor y mejor sensación, es probable que los pacientes vean muchas menos lesiones e infecciones graves debido a una mayor sensación y una mejor coordinación.

¿Cómo funciona TVTC?

Los dispositivos de terapia de vibración vienen en una variedad de formas. En nuestra oficina, tenemos plataformas vibratorias para los pies que tratan solo la neuropatía periférica de los pies. También utilizamos dispositivos de mano para apuntar a áreas muy específicas del cuerpo y personalizar completamente la duración y la duración del tratamiento. La ventaja de estos es que son muy baratos. (Mi favorito actual es el "Masajeador portátil de acción de percusión HoMedics con calor". Se puede encontrar en línea por menos de $ 40).

También tenemos la plataforma de vibración de pie, que es lo que se llama terapia de vibración de cuerpo entero. Si pueden tolerarlo, tenemos a nuestros pacientes de neuropatía en la plataforma para un tratamiento de cuerpo completo. De cualquier manera, la vibración de alta frecuencia es un tratamiento efectivo y seguro para el área (s) del cuerpo afectada por la neuropatía. La terapia de vibración estimula la contracción rápida de los músculos del paciente. El endurecimiento frecuente de un músculo desarrollará y fortalecerá el tejido muscular, incluso cuando se realiza por pequeños períodos de tiempo. A medida que el músculo se acumula, su necesidad de sangre también aumenta. Esto es lo que estimula el crecimiento de los vasos sanguíneos y sigue alimentando a los músculos con los nutrientes que necesitan durante y después de la terapia de vibración.

Es importante tener en cuenta que si bien el ejercicio tradicional es difícil y a menudo incómodo para muchos pacientes que padecen dolor crónico, la terapia de vibración reduce estas complicaciones fuera de la ecuación. Cuando las personas tienen una sensación reducida en los pies y las manos, puede ser muy peligroso levantar pesas libres o subirse a una cinta de correr, pero la terapia de vibración permite al paciente pararse o incluso sentarse durante el "entrenamiento", a medida que los músculos se fortalecen. todo el tiempo.

Cuando los músculos se empujan y ejercen de manera específica, los nervios pueden ser estimulados para que vuelvan a crecer sus vías neurales e incluso reparen o reconstruyan los nervios dañados.

Una ventaja adicional de la terapia de vibración es que estimula la liberación de osteoblastos de los núcleos en las células óseas. Los osteoblastos son los que hacen posible que los huesos se fortalezcan creando nuevas células óseas.

Neurológicamente, la estimulación de los receptores nerviosos de vibración llamados corpúsculos de Pacini a provoca una inhibición de los nervios dolorosos. Estimular esas vías de vibración regularmente, durante un largo período de tiempo (al menos un mes) creará señales de vibración más fuertes, más nervios de vibración y más receptores de vibración receptivos.

Todos estos hechos combinados significan que los pacientes con terapia de vibración recuperarán la sensación, la fuerza y la resistencia y reducirán las señales de dolor, algo genial, ¿verdad? Con el tiempo, las pequeñas cosas en la vida que solían ser extenuantes se volverán mucho más fáciles. Finalmente, los pacientes vuelven a las rutinas más normales e introducen regularmente ejercicio moderado a sus calendarios diarios. Es realmente una experiencia reveladora perder el uso completo de partes de su cuerpo y luego recuperarlo nuevamente. Sus prioridades y su perspectiva nunca serán las mismas.

¿Hay alguien que NO deba experimentar TVTC?

Ciertos pacientes no deben participar en la terapia de vibración, incluidos los pacientes con epilepsia, vértigo severo o retina desprendida. Además, si está embarazada, la terapia de vibración probablemente no sea segura para usted.

Las claves para la reversión de la neuropatía

Para tratar eficazmente afecciones crónicas, como la neuropatía periférica, debemos abordarla utilizando varias modalidades diferentes. Es por eso que nunca tratamos a un paciente de neuropatía con solo terapia de vibración. Nuestros pacientes de neuropatía comúnmente experimentan terapia de vibración, terapia de luz de bajo nivel, tratamientos de tejidos blandos, estimulación eléctrica, descompresión espinal y terapia basada en el cerebro durante sus visitas. Llegamos a estas condiciones con todo lo que tenemos porque la comodidad, la salud y la satisfacción del paciente son primordiales. Sabemos que este enfoque múltiple es la mejor manera de sacar a las personas de los analgésicos y volver a ponerse de pie.

CAPÍTULO 11

Terapias De Tejido Suave

Caso práctico

Judith buscó tratamiento en nuestra oficina por molestias agudas ocasionales en sus regiones públicas y abdominales que aumentarían con el movimiento y mejorarían con el descanso. Había pasado por todas las pruebas de diagnóstico posibles para determinar qué estaba causando este dolor intenso e implacable. Ultrasonido, radiografía, resonancia magnética, tomografías computarizadas, algunos de ellos varias veces. Cada vez que la prueba volviera a la normalidad. En el momento en que ella vino a verme, su médico la estaba presionando para que le hiciera una "cirugía exploratoria". Estaba fuera de los procedimientos de prueba y pensó que necesitaría abrirla y echar un vistazo allí.

Ella calificó su malestar en un 7 en una escala de dolor de 1- 10 con 10 siendo el más alto. Su dolor de barriga era tan fuerte solo estar de pie y caminar era una tarea muy dolorosa. Ir de compras fue una pesadilla para ella. Un poco de investigación de antecedentes también reveló que tenía eczema y problemas de equilibrio.

Puse mi programa dietético y usé una variedad de

terapias prácticas para ayudarla a mantener el equilibrio y el dolor abdominal. Comenzó su programa a fines del verano y cada vez que iba a la oficina se quejaba de dolor abdominal. Poco a poco, las quejas disminuyeron y, en octubre, la tendencia de las quejas se detuvo por completo.

En noviembre le preguntamos cómo estaba y ella me dijo que no tenía dolor en el abdomen durante casi 2 meses. También dijo: "Perdí 11 libras ... el dolor en mi abdomen desapareció después de hacer la desintoxicación y seguir las recomendaciones dietéticas del Dr. Brian. Mi eccema ha desaparecido por completo y mi equilibrio ha mejorado. He cosechado muchas recompensas del programa ".

¿Sabes lo que fue? Una sensibilidad al gluten. La solución no era más pruebas o más drogas, era detener la comida ofensiva a la que su cuerpo estaba reaccionando.

Trigenics: una técnica milagrosa

En los más de 20 años que he sido quiropráctico, nunca había visto algo tan poderoso como esta técnica llamada Trigenics y frecuentemente recurrimos a ella en nuestro programa de neuropatía. Desde el sitio web, www.trigenics.com:

> Trigenics® es un sistema avanzado de evaluación, tratamiento y entrenamiento muscular neurológico que reprograma instantáneamente la forma en que el cerebro se comunica con el

cuerpo para aliviar de inmediato el dolor, amplificar la fuerza y el movimiento y aumentar el rendimiento muscular.

Los complejos procedimientos multimodales en Trigenics® combinan simultáneamente tres protocolos de ejercicio y tratamiento para un efecto de mejora terapéutica y de entrenamiento mucho mayor que nunca antes se pensó posible..

¡He visto tantos resultados asombrosos de esta técnica que me deja sin aliento! Se usa más comúnmente con nuestro programa de dolor de rodilla, pero también lo empleamos para la neuropatía cuando es necesario. La definición anterior lo expone todo correctamente, y me gusta explicarlo así: es similar a una combinación de masaje de tejido profundo y ejercicio físico al mismo tiempo.

El practicante realiza ciertas sujeciones en músculos específicos en posiciones muy bien definidas mientras el paciente realiza movimientos específicos de las extremidades. Los pacientes notan mejoras instantáneas casi siempre. La técnica funciona excepcionalmente bien cuando hay rangos de movimiento limitados, músculos tensos o calambres o incluso con regiones musculares dolorosas. Puede ser una técnica que encuentre puntos muy sensibles para estar seguros, por lo que siempre acompañamos a un paciente y le explicamos a medida que avanzamos.

Para videos más interesantes antes y después, puede visitar www.trigenics.com o mi propio sitio web, http: // www. chroniccarecharlottesville.com/knee-pain/.

A menudo, un paciente informa que se siente más liviano o nos dice que la tensión ha desaparecido. En el próximo capítulo, discutiré otra técnica que realmente relajará las cosas.

CAPÍTULO 12

Terapia De Descompresión Espinal

Caso práctico

A la temprana edad de 83 años, llegué a donde ya casi no podía caminar y cargaba demasiado peso. Tenía un dolor insoportable la mayor parte del tiempo, así que decidí hacer algo al respecto.

Cuando comencé a venir aquí para recibir tratamiento, era para mis pies y mi espalda y piernas. Tuve un daño considerable en las piernas de un total de 8 cirugías de espalda. Tengo varillas en la espalda, pero entré aquí con mucho dolor en los pies, las piernas y la espalda. Desde que pasó por [Dr. Programa de neuropatía de Prax], ahora puedo trabajar 6 horas al día en lugar de 2. Es una gran mejora y es muy divertido poder salir y hacer cosas en mi granja.

Mi cosa número uno es cazar y pescar, vivo para cazar y pescar. Me gusta hacer cosas en mi taller y me encanta subirme a mis buggies y pasear por la montaña, disfrutar del aire libre. Fue muy limitante. No podía ponerme los zapatos, no podía ponerme los calcetines y me estaba cansando de que la gente viniera a quitarme los calcetines o los zapatos. Puedo ponerme los calcetines ahora, puedo ponerme y

quitarme los zapatos, puedo ponerme y quitarme la ropa, para que mi esposa tome un descanso.

Al B.

Como se mencionó anteriormente, la mayoría de los casos de neuropatía tienen más de una causa. Usamos la analogía de "las pajitas en la espalda de un camello". En otras palabras, aunque el 30% de todas las neuropatías provienen de la diabetes, existen más de 100 causas conocidas y una de ellas, casi siempre vista, es la compresión nerviosa. Si los nervios que salen de la zona lumbar y bajan a las piernas y los pies o los nervios que salen del cuello y bajan a los brazos y las manos se comprimen, se produce dolor, hormigueo, entumecimiento u otros síntomas.

La compresión en la columna vertebral que involucra el disco y los nervios mismos obviamente puede causar dolor en la columna, pero, pero no siempre; eso es lo que lo hace tan complicado. Las fuentes de dolor pueden ser directamente desde el disco o el disco ejerce presión sobre los nervios. Estas son las formas más comunes en que los nervios de la columna pueden comprimirse:

- desalineación de la columna vertebral

- escoliosis o curvaturas

- osteoartritis

- degeneración de disco

- hernia discal

- abultamiento de disco

- inflamación

- infección

- tumores de la columna vertebral

- Artritis reumatoide

Es muy importante diagnosticar diferencialmente la (s) causa (s) de la compresión y su médico probablemente hará una radiografía, resonancia magnética o tomografía computarizada para "ver" lo que está sucediendo allí.

Los cirujanos realizan una operación llamada "descompresión espinal" donde entran y descomprimen la vértebra. Implica extraer parte del hueso o disco alrededor de la médula espinal o los nervios que salen de la columna vertebral, es bastante invasivo. En nuestra oficina, utilizamos una técnica mucho más suave llamada Terapia de descompresión espinal no quirúrgica (TDE). Ha existido de una forma u otra durante décadas y ha habido una gran cantidad de estudios sobre la terapia.

Lo que hacemos es acostar a un paciente sobre la mesa (boca arriba o boca abajo) con un cinturón de regazo, y la máquina hace todo el resto por nosotros. Realmente descomprime las vértebras y los discos intermedios. Honestamente, se siente tan bien que algunos de nuestros pacientes se quedan dormidos. Algunas cosas pueden suceder con TDE:

- reduce la presión del disco

- mejora la curación del disco

- facilita una acción de bombeo a los discos que bombea oxígeno, proteínas y otros sustratos, y bombea productos de desecho como el dióxido de carbono

- inhibe la fuga de material del disco

- efecto de vacío; tira del material del disco que ha salido hacia el disco

Estas son algunas de las dolencias más comunes que TDE puede tratar.:

- hernia de disco

- enfermedad degenerativa del disco

- ciática

- Síndrome facetario

- paciente posquirúrgico

- neuropatía periférica por nervios comprimidos

Como con todas las terapias, hay contraindicaciones relativas y aquí está la lista:

- fragmentación del disco

- calcificación

- artritis severa

- aparatos quirúrgicos espinales

- osteoporosis

- defecto de paras

- espondilolistesis

- parálisis

Si tiene una o más de las "contraindicaciones relativas" anteriores, eso solo significa que debemos tener mucho cuidado, no es que no pueda recibir la terapia. Lo tomó caso por caso, pero casi siempre uso la terapia, aunque empieza muy lenta y suavemente.

La diferencia entre la terapia de descompresión espinal (TDE) y la tracción

Recibo esta pregunta de vez en cuando. "¿Qué opinas sobre la tracción o una tabla de inversión?" Mi respuesta es bastante simple. "Bueno, ¿qué piensa USTED?" Porque la mayoría de las veces la pregunta se hace a un paciente que posee o ha probado una mesa de inversión o un dispositivo de tracción. Si responden que les encanta, yo diría: "Bueno, me parece bien, sigan haciéndolo". Si nunca lo han intentado, les explico la diferencia, así que aquí va:

La "tracción espinal" se define como un tirón continuo conla misma cantidad de fuerza. Esto se puede lograr con yoga o estiramientos utilizando el movimiento de "pliegue hacia adelante" donde básicamente se dobla, colocando el pecho sobre los muslos y realmente se concentra en relajarse; esto puede sentirse realmente bien. También se puede lograr usando una mesa de inversión en la que amarre los tobillos (o enganche las rodillas) en una mesa mientras está en posición vertical y luego gírelo a la posición "invertida" (colgando boca abajo).

Eso también puede sentirse bien, pero en ambos casos, comience lentamente porque si no está acostumbrado a estar al revés y que su sangre suba a la cabeza, ¡puede ser una experiencia vertiginosa! Para la tabla de inversión, también recomiendo comenzar con NO MÁS de 30 segundos y avanzar hasta unos pocos minutos. Además, asegúrese de tener a alguien con usted para ayudarlo si es necesario. Esta terapia puede ayudar con espasmos musculares e incluso dolor de disco, pero no brilla tan bien como TDE en la investigación.

Así es como se ve una tabla de inversión:

La diferencia con la terapia de descompresión espinal es con la aplicación de fuerzas. Mientras que la tracción utiliza una fuerza continua (a menudo el peso de su cuerpo), las máquinas de TDE varían las fuerzas. Un paciente se acuesta boca arriba o boca abajo según las circunstancias y luego se conecta al dispositivo. Para la parte baja de la espalda, se enrolla una correa alrededor de la pelvis y se conecta al cable de la máquina de TDE. A continuación, se aplica una correa para la parte superior del cuerpo o, en algunos casos, se puede usar un refuerzo para la axila; cualquiera de estos funciona para mantener la parte superior del cuerpo en su lugar mientras se tira de la parte inferior del cuerpo.

Se programa una computadora considerando la altura, el peso, la edad, el tipo de cuerpo y otros factores del paciente (osteoporosis, diabetes, postoperatorio, por nombrar algunos). La máquina siempre comienza con una fuerza muy ligera, generalmente de 5 libras, y tira durante unos 30 segundos. Luego quita gran parte del peso, permitiendo un período de descanso. Este período suele ser la misma cantidad de tiempo que el tiempo de extracción. Luego, se aplica una fuerza mayor, digamos 10 libras durante 30 segundos, luego descansa. Esto continúa de manera piramidal. En otras palabras, la fuerza aumenta al máximo con descanso entre tirones y luego regresa a fuerzas más pequeñas. Así es como se ve nuestra tabla de TDE cuando se usa para el TDE lumbar (espalda baja).

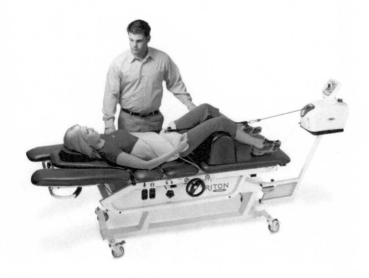

Para el TDE cervical (cuello) se utilizan fuerzas más pequeñas, pero el paciente se coloca en el dispositivo cervical de la unidad que tira suavemente con almohadillas craneales.

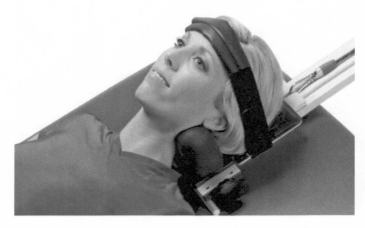

Así es como se ve nuestra tabla de TDE cuando se usa para el TDE cervical. No te preocupes, es muy gentil. Solo mírala sonriendo.

La conclusión es que el TDE, cuando se aplica adecuadamente, no solo puede sentirse increíble, sino que puede alentar una curación real. A mis pacientes les encanta y apuesto a que tú también.

CAPÍTULO 13

Volver A Los Conceptos Básicos Del Bienestar

Caso práctica

Molly fue uno de los peores casos de neuropatía que asumí. Nos dijo que no podía sentir sus pies en absoluto y que sus medicamentos "me dan sueño, cansancio y aumentan de peso". Describió los síntomas del pie como ardor, hormigueo, entumecimiento, sensación de frío. "La parte inferior de mis pies me duele pero, al mismo tiempo, no los siento. Parece que mis pies están encapsulados en hielo, como los pies de Frankenstein. Me mantienen despierto por la noche mientras intentan dormir. Me impedía caminar por mi casa haciendo cualquier cosa porque me dolían mucho los pies, y estaban helados por el hielo y sentí que había miles de agujas en ellos, pinchándome. No podría caminar sin un dolor terrible ".

Al principio, le dije que NO podía aceptarla en el programa porque nuestras pruebas indicaron que tenía más del 90% de pérdida de los nervios sensoriales en sus pies. Tenía una columna muy artrítica, era obesa, letárgica, con 9 medicamentos recetados diferentes y tenía muchos otros diagnósticos médicos. Les dije a ella y a su esposo que pensaba que era demasiado tarde en su caso. Persistieron, y finalmente la acepté, pero dije que tendría que hacer todo el programa al 100%. Ella dijo que lo haría y realmente lo hizo.

Esto es lo que Molly dijo en su evaluación final. "Noto unagran diferencia en la sensación en mis pies ahora que antes porque realmente puedo sentirlos. No tengo los alfileres y agujas que tenía. Es mucho mejor caminar. Debo dar pasos más grandes y tengo más confianza cuando camino y ahora empiezo a sentirme como yo, como hace 15 años.

No lo sabía, pero caminaba curvado y ahora tengo los hombros caídos, y se sienten mucho mejor y me siento mejor por todas partes. Tengo una mejor postura. Mi esposo dijo que me ve dando un paso a la vez. Había estado dando un paso a la vez desde 1988. Ni siquiera podía hacer las tareas del hogar debido a la combinación de mi hombro y los pies; Estaba en una posición terrible. Estaba mentalmente deprimido.

Recomendaría a cualquiera que piense que tiene un problema nervioso como la neuropatía que acuda a usted porque incluso mi actitud ha mejorado. Perdí cerca de 30 libras y voy a seguir perdiendo peso. Creo que si todo su cuerpo trabaja en conjunto, se siente mejor y su programa loune todo ".

Molly R.

Por un momento, piensa en cuando eras niño. Lo más probable es que en la escuela primaria, tuvieras una energía ilimitada. Los días fueron largos, pero no importó: probablemente podrías correr por el vecindario con tus amigos sin pensar en comida, dolor o fatiga.

Ahora, tal vez tienes hijos o nietos, y los ves ir a jugar durante horas sin pausa, ¡y es agotador! Bromeamos sobre embotellar toda esa energía. Nosotros tenemos nostalgia de sentirnos ilimitados y libres, pero no lo suficiente de nosotros sabemos que realmente hay una manera de recuperar algunos de esos poderosos sentimientos nuevamente.

El bienestar es muy personal y significa diferentes cosas para diferentes personas en términos de preferencias y resultados:

- Si tiene dolor de espalda debilitante, podría sentirse poderoso nuevamente si pudiera pasar el día sin tomar analgésicos recetados y sufrir sus efectos secundarios.

- Si su artritis restringe sus actividades físicas diarias, es posible que vuelva a sentirse poderoso si pudiera hacer una caminata de nuevo o tejer otra afgana sin que esto provoque días de dolor insoportable en las articulaciones.

- Si sufre de neuropatía periférica, es posible que vuelva a sentirse poderoso si recupera la sensación en la punta de sus dedos y retoma las actividades y pasatiempos que dejó hace años.

Envejecer no es para los mansos, ¡pero recuerda que tenemos la suerte de haber llegado tan lejos!

Entonces, ¿qué hará falta para que te sientas enérgico y poderoso de nuevo? No hay una respuesta general a esa pregunta. Cada persona se presenta con su propio conjunto de síntomas, afecciones y preferencias. Cada persona tiene sus propios objetivos que los harán sentir sana y feliz. Todo eso hace que sea complicado prescribir una hoja de ruta hacia el bienestar.

Como discutimos en capítulos anteriores, ofrecemos varias modalidades de curación en nuestra oficina que los pacientes con dolor crónico encuentran beneficiosos. La terapia basada en el cerebro, la vibración, la terapia con láser con poca luz y la electroterapia son algunos recursos importantes que muchos de nuestros pacientes usan todos los días. También aconsejamos a nuestros pacientes sobre la importancia de llevar una dieta bien balanceada.

La buena nutrición debe considerarse la piedra angular de cualquier plan de bienestar. La comida que usa para alimentar su cuerpo hará una gran diferencia cuando sus células necesiten repararse y regenerarse. Promovemos una dieta rica en alimentos no procesados, frutas, verduras y fuentes de proteínas naturales. Comer así le da a su cuerpo las vitaminas, minerales y antioxidantes que necesita para mantenerse fuerte y saludable.

¿Qué más puedo hacer para sentirme bien?

Ejercicio: un acertijo envuelto alrededor de un enigma

A menudo escucho el lamento de los pacientes por el hecho de que no pueden hacer ejercicio debido al dolor en sus pies. Esto es lo que yo llamaría un enigma envuelto en un enigma. Sabemos por experiencia e investigación que el ejercicio ayuda a estimular muchas cosas, incluido el sistema inmunitario, la circulación, el crecimiento muscular, los nervios y cerebro. En realidad, se ha demostrado que el ejercicio disminuye el dolor, pero ¿cómo se supone que debes hacer ejercicio cuando sientes que caminas sobre gravilla o chinchetas? Es casi imposible, pero de alguna manera, debemos encontrar una manera de avanzar.

Lo que generalmente recomiendo es que un paciente comience con una dieta antiinflamatoria súper limpia combinada con las terapias recomendadas en el hogar y luego, cuando se sienta lo suficientemente bien, comience alguna forma de ejercicio. Comience con ejercicios que sean muy ligeros, como ciclismo, natación, aeróbic acuático, yoga suave (incluso yoga en silla), clases de estiramiento o tai chi. El desafío está comenzando. Sentiremos dolor tanto si hacemos ejercicio como si no, por lo que bien podríamos hacer algo positivo.

YouTube es una excelente fuente. ¡Anímate y busca "silla de yoga" en Google y obtendrás más de 26 millones de resultados! Sugerencia: solo necesita uno o dos, así que no se sienta abrumado. Solo empieza. Prueba algo. Comience con una sola postura y vea cómo se siente. Progreso desde allí. Mi canal de yoga favorito es "Yoga con Adrienne"

(https://www.youtube.com/user/yogawithadriene). Una vez más, la natación o cualquier cosa en el agua es muy suave y ¡también puedes ejercitarte muchísimo!

Seré honesto, como triatleta, hago ejercicio todo el tiempo y, la mayoría de las veces, me encanta. Pero hay momentos (a menudo a las 5:30 de la mañana) en los que prefiero hacer otra cosa (como dormir), y cada vez que me esfuerzo por ir al gimnasio o salir a la carretera, me lo agradezco más tarde porque me siento muy bien después del entrenamiento. Me siento bien porque hice mi entrenamiento y mi cuerpo también se siente mejor. También hay una sensación de orgullo de que "lo hice". Lo prometo, también sentirás lo mismo. ¡Comienza ahora!

Cuidado quiropráctico

En el corazón de nuestra práctica hay una clínica de bienestar ocupada que ofrece atención quiropráctica, nutrición y educación. Creemos firmemente en el poder de una columna vertebral fuerte y alineada que respalde un sistema nervioso saludable. Mantener la columna vertebral alineada se logra mediante ajustes suaves y rutinarios. Para la mayoría de nuestros pacientes, un ajuste por semana funciona muy bien. Pero los pacientes que se recuperan de un accidente, enfermedad, infección o lesión a veces requieren ajustes más frecuentes por un período de tiempo.

Los ajustes quiroprácticos regulares no solo pueden mejorar la salud de la columna vertebral y el sistema nervioso, sino que también pueden:

- mejorar el estado de ánimo
- mejorar el sueño
- aumentar la energía
- disminuir el dolor
- aumentar la flexibilidad
- detener los dolores de cabeza recurrentes

Una de las cosas más importantes que hacen los ajustes es estimular el sistema inmunológico. Esto se logra despejando las vías neurales para que el sistema nervioso central pueda comunicarse efectivamente con el sistema inmune (y con cualquier otro sistema en su cuerpo). Esta comunicación se ve obstaculizada cuando la columna experimenta subluxaciones, que son desalineaciones a lo largo de la columna vertebral. Cuando se despejan las vías del sistema nervioso, los efectos pueden ser bastante poderosos:

- disminución de resfriados, gripe y otras enfermedades contagiosas

- reducir en gran medida los síntomas de asma y alergias

- resultar en menos ingresos hospitalarios

Desafortunadamente, la mayoría de las personas solo piensan ir al quiropráctico si les duele la espalda. ¡Pero podemos hacer mucho más juntos que simplemente reparar el dolor de espalda!

¿Qué tienen que ver los ajustes quiroprácticos con la neuropatía periférica?

Como recordarán, las modalidades de tratamiento que ya discutimos para la neuropatía periférica tenían que ver con la reconstrucción de los nervios, el crecimiento de los vasos sanguíneos y la mejora de la función muscular. Bueno, los ajustes quiroprácticos tienen que ver con despejar el camino para que el sistema nervioso haga su trabajo correctamente. Entonces, cuando tu cerebro puede decirle a esos pequeños nervios terminan que es hora de volver a crecer, todos esos otros esfuerzos de los que hablamos tienen muchas más probabilidades de tener éxito. Además de fomentar el nuevo crecimiento de los nervios dañados, los ajustes también pueden destrabar los nervios. Un nervio pellizcado puede causar entumecimiento y dolor, al igual que la neuropatía periférica. Recuperar los huesos en sus lugares apropiados quita la presión de los nervios, alivia el dolor y promueve un estilo de vida saludable y activo. También hace que la articulación de las manos, los pies o ambos se mueva mejor si se ve afectada por la neuropatía.

¿Qué debo hacer si sospecho que tengo neuropatía periférica?

Los Institutos Nacionales de Trastornos Neurológicos y Accidentes Cerebrovasculares dicen que la neuropatía periférica afecta a aproximadamente 24 millones de estadounidenses.28 Es una afección muy común entre personas de ciertas poblaciones, como los diabéticos, pacientes con cáncer y aquellos que toman medicamentos con estatinas para reducir el colesterol. Por lo tanto, es importante saber que, si tiene neuropatía periférica, ciertamente no está solo.

Si bien las primeras etapas de los síntomas pueden parecer solo irritaciones menores, el diagnóstico temprano de la neuropatía periférica puede evitar que la afección empeore. Hable con su médico de inmediato para diagnosticar y determinar la causa de su neuropatía periférica.

Podría haber formas de cambiar su plan de tratamiento médico que pueden reducir sus síntomas.

También recomendamos visitar nuestra oficina lo antes posible. Es posible que podamos ofrecerle una variedad de tratamientos que pueden reducir o incluso eliminar el dolor, el entumecimiento y el hormigueo asociados con la neuropatía periférica. No hay razón para esperar hasta que el problema empeore; tan pronto como sospeche que algo está mal, busque ayuda profesional. Es la mejor manera de garantizar su salud y bienestar durante muchos años.

No seas "ESE" Hombre

Me enamoré del deporte del triatlón a principios de 2014. Al principio, fue una gran oportunidad para entrenar con mis dos hijos, Blaze y Jordan, pero eso rápidamente se convirtió en una pasión por el deporte de natación, ciclismo y carrera... Mirando hacia atrás, sabía muy poco sobre correr, y mucho menos sobre nadar. Mi experiencia en bicicleta consistió en un recorrido periódico por el sendero con los niños. Es sorprendente que pude completar mi primer triatlón de sprint en 2014.

Avance rápido un año y medio a mediados de la temporada 2015. Mi mente era la de un niño de 14 o incluso 16 años (como mis hijos), pero mi cuerpo era el de un hombre de unos 40 años. ¡Pensar que realmente podría competir, o incluso seguir el ritmo de estos muchachos! Recuerdohaberles dicho a amigos y pacientes que "se estánvolviendo tan rápidos que siento que tengo que hacer ejercicio doble l dificuldad e incluso ser la mitad de rápido ". Entonces eso es exactamente lo que hice. Arranqué el entrenamiento.

No solo entrenaba entre 6 y 7 días a la semana (a veces dos en un día), razoné que necesitaba aumentar mi velocidad de carrera, ya que era mi deporte más lento. Los niños se estaban volviendo cada vez más rápidos. En este punto, no podía seguir el ritmo de Jordan, el joven de 16 años. Por otro lado, Blaze, de 14 años y yo, éramos bastante competitivos. ¡En una carrera en 2015, lo vencí por solo 3 segundos! ¡Una carrera que tomó más de una hora y lo vencí por 3 segundos!

¡Sentí que casi sufría un ataque al corazón también! Mira mi cara. ¿Ves al niño con el sombrero y la cabeza metidos?

Recuerdo que fue después de esa carrera que comencé a sentir este extraño dolor en el muslo derecho. Por lo general, apareció después de 5 millas de carrera o ciclismo realmente duro. Incluso

comenzó a doler después de sentarme en una silla,

especialmente los taburetes de nuestra cocina.

Bueno, como médico, diagnostiqué una distensión muscular y la traté como tal. Intenté masajear, más masaje luego masaje de tejido profundo e incluso Rolfing (un sistema de manipulación profunda de tejido blando / conectivo). Lo intentéestiramientos, yoga, incluso tomarse una semana de descanso aquí y allá. Intenté aplicar árnica, otras cremas, baños de sal de Epsom y cualquier otra cosa que se me ocurriera para este "dolor muscular" que simplemente no desaparecería.

Se estaba volviendo tan crónico y simplemente no iba a desaparecer, así que finalmente decidí que debía ir a ver a un experto, un médico especializado en correr y lesiones deportivas. En este punto mi entrenamiento se vio obstaculizado; Me había perdido algunas carreras y había dejado de correr por completo.

Entonces, estaba motivado: programé una cita. Bueno, exactamente 73 horas antes de la cita (72 horas es el tiempo requerido antes de cancelar una cita sin cargo) Llamé y la cancelé. Razoné: "¿Qué sabe este médico que yo no sé? Ya sé lo que es: es un espasmo muscular o tensión muscular. Solo necesita más tiempo o masajes, probablemente necesite más estiramientos ".

Bueno, dos meses después, en noviembre, sigo sufriendo los mismos síntomas y no está mejorando. Habiendo perdido la mitad de la temporada 2015 y ahora tengo la temporada 2016 próxima, decidí que debería reprogramar e ir a ver a este médico. Bueno, ¿qué crees que pasaría 73 horas antes de esa segunda cita? Así es, realmente suyo, "Sr. Saberlo todo", decidió cancelar la cita. La misma lógica que la última vez. "¿Qué sabe él?"

Afortunadamente, mi esposa, también conocida como "mi media naranja", sugirió gentilmente: "¿Por qué no vas a ver lo que tiene que decir?" Entonces, asistí a la cita y de mala gana fui a la Universidad de Virginia a ver al Dr. Robert Wilder, el experto en carreras.

Rápidamente y con confianza realizó un examen detallado de mi pierna, mi postura y mi modo de andar. Hizo pruebas que nunca había visto antes. Luego, me envió a tomar una radiografía de mi pierna. En 20 minutos, los resultados estaban de vuelta, lo apareció en la pantalla y desde el otro lado de la habitación me estaba mirando: tuve una fractura por estrés en el fémur.

¿Quién fractura el fémur, el hueso más fuerte del cuerpo? Bueno, al parecer, sí, y mi tiempo de recuperación sería de seis semanas completas sin correr y luego un régimen muy lento para volver a correr. ¿Adivina qué? Eso resolvió mi problema y, aunque perdí algunas carreras en 2016, volví a ponerme de pie.

¿Por qué cuento esta historia? Es para hacer un punto y aquí está: ¡no seas "ESE CHICO!"

Ese tipo que piensa que él o ella sabe cuál es su problema y cómo solucionarlo. Yo era "ese tipo" y obviamente no era el experto en correr lesiones. Perdí casi 6 meses de mi entrenamiento y mi carrera de triatlón cada vez más lento porque no pude contactar a un experto, la persona que conoce lesiones como la mía.

No seas "ese tipo" con tu neuropatía tampoco. Si ha trabajado con su médico durante más de seis meses y aún no ha obtenido ningún resultado, no lo resolverá; Créeme. Sería como ir a un psiquiatra para descubrir un hueso roto ... ¡practicante equivocado! Conséguete a un experto. Encuentre un médico especializado en neuropatía periférica. Alguien que tiene un historial probado con esta condición difícil.

Debe comenzar a trabajar en esto ahora porque cada día el tratamiento incorrecto (o incluso ningún tratamiento) lo acerca cada vez más al daño nervioso permanente. En algún momento, si continúa progresando, será irreversible y nadie podrá ayudarte, ni siquiera mi programa.

Tenga esto en cuenta antes de que absorba más y más alegría de su vida. Esta no es manera de vivir. Ponte en contacto conmigo y con mi equipo. Me encantaría ver si podemos ayudarte. Si usted (o alguien que conoce) está fuera de nuestra área, no se preocupe, es posible que califique para mi programa remoto donde podemos usar tecnología como Skype, Facebook, correo electrónico y el teléfono para obtener la ayuda necesaria. Ahora es el momento de comenzar su recuperación (o incluso ver si la recuperación es posible).

Te veré en YouTube

Tengo un canal de YouTube que cubre gran parte del material de este libro y se agrega y actualiza constantemente. A partir de la impresión de este libro tengo más de 350 videos, 50 de ellos son específicamente sobre la reversión de la neuropatía periférica. Cuando encuentro un nuevo estudio o tengo una historia inspiradora para compartir o encontrar una nueva pieza de tecnología, corto un video sobre él. En esta "era de la información", se trata de compartir y eso es lo que hago.

Asegúrese de ir a mi canal de YouTube para estar al tanto de REVIRTIENDO LA NEUROPATÍA. Es simple de hacer. Simplemente vaya a YouTube.com y escriba "Dr. Brian Prax "y serás llevado directamente a mi canal. Presiona el botón de suscripción (es el pequeño botón rojo en la parte inferior del video) y comienza a mirar. Hola, cuando te guste mi video, escríbeme un comentario, te responderé ... ¡Realmente lo haré! O al menos, "me gusta", ¿vale?

CAPÍTULO 14

Testimonios

"Fui a caminar en roca jorobada. No hay bastones.Sintiendo la tierra bajo mis pies otra vez. Mi equilibrio ha mejorado mucho. Tienen hacedores de milagros en el Dr. Prax. Mucho trabajo duro y dedicación me dieron los resultados que necesitaba para mi neuropatía periférica.

–Linda M.

"Mis dedos estaban entumecidos y mis piernas teníanciática. Me mantuvieron despierto toda la noche. Fue solo dolor y dolor. La dieta es más como un estilo de vida. Está viendo lo que puse en mi boca. Estoy comiendo comida humana real. He perdido 7 libras en aproximadamente cuatro semanas. Estoy más alerta porque no tengo problemas gastrointestinales. A las seis semanas en un programa de 12 semanas, me siento un 50% mejor. Estoy muy satisfecho con mi progreso. Resulta que podemos regenerar los nervios, la mayoría de las personas no lo hacen. Sus médicos no les dicen lo que es posible porque ni siquiera se conocen a sí mismos.

–Mary P

"Estuve tomando metformina y gabapentina durante unaño; no parecían hacer nada. Gracias a su programa ha marcado una gran diferencia. Empecé con diabetes y luego lo revirtió con su dieta y suplementos. Estoy aprendiendo a comer los alimentos correctos en lugar de todo lo que el gobierno nos dice que es excelente para nosotros. No fue fácil. Los síntomas comenzaron con hormigueo y luego conducen a entumecimiento, sin ninguna sensación. Ahora he llegado al punto usando el ReBuilder y la dieta me está renovando algunas terminaciones nerviosas. Tengo una mejor sensación de sentir en mis manos y pies. Puedo caminar mejor, puedo caminar más lejos. Perdí 40 libras y me dio una nueva oportunidad de vida ".

–Bill M.

"Probé medicamentos como Neurontin. Mi médico me dijoque no podían hacer nada realmente. En Chronic Care Charlottesville, aprendí a comer mejor y a cuidarme. Puedo decir que estoy 100% mejor. Me siento mejor por todaspartes ".

–Francis D

"Me encanta la desintoxicación. Te hacesentir maravilloso. No es un programa para cortar galletas. Está personalizado para la persona y lo que funciona mejor para ella. Amo las ortesis, amo la almohada cervical. El Dr. Brian dio hechos y consejos maravillosos. Estaba teniendo mucho dolor; tan mal que ni siquiera podía levantarme del piso, pero desde que vine a ver al Dr. Brian estoy mucho mejor ".

–Peg L

"No podía dormir en absoluto y mi ansiedad era alta. No podía relajarme y era una preocupación constante. Estoy emocionado No tengo que preocuparme más. El dolor se ha ido. Me siento como $ 1 millón la mayoría de los días. Siempre hay algo para ser feliz. Me siento aliviado. Ahora puedo verme nuevamente en una rutina de ejercicio. Mi balance es mucho mejor. No tengo que preocuparme tanto por caerme. Dale un tiro. Tienes que probarlo. Obtendrá apoyo y una mayor base de conocimiento de lo que puede hacer por usted mismo. Realmente disfruté este proceso".

–Celina P

"Después de 31 visitas, estaba curado en un 90-95%".

–BILL G

"Después de solo 2 tratamientos pude dormir por la nochesin calcetines, lo cual había sido uno de mis grandesproblemas porque tenía los pies muy fríos".

–Mickey W.

"Estaba tomando medicamentos para el dolor todos los días, después de 12 visitas, dejé de tomarlos. No tenía síntomas por la noche y ya no necesitaba ayuda para dormir. Estoy extremadamente feliz con mi elección decomenzar el programa. "

–Rosanna V.

"Pasé del 44% de pérdida sensorial al 15% de pérdidasensorial a la mitad del programa. Estoy mejorando y me siento mucho mejor ".

–Kim M.

"Vi un anuncio de neuropatía que me intrigó porque estabadesarrollando neuropatía en mis pies y piernas. Vi a mi podólogo y el confirmó que tengo neuropatía. Entonces, decidí probar el programa; Siempre tuve problemas con mis piernas en particular. No podía dormir por la noche porque me molestaban mucho las piernas. ¡En menos de 2semanas comencé a dormir toda la noche! "

–Bob B.

"Vine aquí por el entumecimiento en mis pies; Estaba en laparte superior e inferior de mis pies y mis dedos de los pies. Llevo un tiempo en el programa y todo lo que tengo es un poco de entumecimiento, por lo que definitivamente funciona. Animaría a cualquiera a venir aquí y visitarlos. ¡Estoy muy feliz y creo que su programa de mantenimientotambién me ayudará! "

–Matt B.

"Hace más de 5 años, un neurólogo muy respetado me dijo que" no se puede hacer otra cosa que tomar B12 y tener cuidado de no caer ". Escuché sobre este programa en una reunión local de Rotary, pensé que lo probaría ... esperando por completo una situación similar debido a mi edad. Para mi sorpresa después de las pruebas, sabía que había potencial de que realmente pudiera obtener ayuda.

Ahora estoy en mi octava semana de terapia y los resultados han sido sorprendentes. Ya no tienes sensaciónde hormigueo o dolor. "

–Burnell S.

"*He estado durante aproximadamente una semana y media. Desde entonces, he perdido nueve libras siguiendo el plan de nutrición. Tengo tantos problemas en los pies, dolor de espalda, dolor de cuello y dolor de manos, por eso decidí venir. Desde que he venido, ya he visto bastante diferencia en este corto período de tiempo. No puedo creer el progreso que he tenido en tan poco tiempo ".*

–Ann R.

"*Mis pies han estado muertos por bastante tiempo. Dos vecesdiferentes en mi recogida, no podía sentir mi acelerador. Comenzamos el tratamiento y alrededor de 3-4 semanas en el programa, después de comenzar el tratamiento en el hogar ... Pude sentir la alfombra cuando caminaba y esa fue la primera vez que lo hice en bastante tiempo ".*

–Mark O.

"Tenía una neuropatía bastante grave y seguía empeorandodespués de ver a los médicos, me estaban dando algunas pastillas para el dolor y vacunas de vitamina B12. Decidí que necesitaba hacer algo mejor y ser proactivo. Esta será mi tercera semana y entre todos los tratamientos que hacen aquí, ya estoy mejorando- Tengo solo un incidente por semana y tuve 5-6 incidentes por día ".

–Kelly C.

"La neuropatía estuvo afectando mi vida bastante mal durante casiun año, hasta el punto en que me dolía la mayor parte del tiempo. Desde que he venido aquí durante 3 o 4 sesiones, ya he notado mucha diferencia y ya me siento mucho mejor.

–Jesse R.

"Vine aquí muy aprensivo. Llevo solo unas pocas semanas y ya he recuperado tanta fuerza en mi pierna izquierda que era el problema. Apenas uso mi bastón ahora, solo por un poco de seguridad. ¡No puedo creer lo bien que me va después de haber sido tratada solo por un corto período de tiempo! "

–Dorothy C.

"He sufrido neuropatía durante al menos tres años, he estado completando el tratamiento aquí y ya ha tenido éxito. ¡Puedo dormir de noche sin que me duelan y meduelan los pies! "

–Betty P.

"Llevo unas cinco semanas y ya puedo notar algunas mejoras en la planta de mis pies".

—Gary C.

"Soy relativamente nuevo en el programa; Esta es solo mi tercera visita. ¡Ya he pasado de un nivel de dolor de 8 a un nivel de dolor de 2!"

—Kim N.

"Llevo unas 6 semanas. Cuando entré, tuve un fuerte dolor desde la cadera hasta el dedo gordo del pie. A partir de hoy, ¡puedo mover mi dedo gordo del pie y siento algo en él! No tengo más dolor en mis caderas o piernas. En general, ¡el tiempo que pasé aquí ha valido la pena! Debo decir que el personal ha sido muy profesional, servicial ya lentador."

—Nell M.

"Estoy en la tercera semana de mi tratamiento, cuandoentré, mi pie izquierdo me estaba matando y mi pie derecho no estaba muy lejos. Me pidieron que calificara mi dolor en un nivel de 1 a 10 durante mi consulta y he estado en un nivel 10 durante aproximadamente tres o cuatro meses. Mi nivel de dolor ahora casi ha desaparecido por completo."

—James F.

"Vine aquí después de ver el anuncio en el periódico. Decidi entrar

porque mi neuropatía era muy mala. Tomó un poco de trabajo, pero todo lo que han hecho aquí por mí ha sido muy bueno. El personal aquí es muy amable, lo que ayuda muchocuando viene a recibir tratamiento. "

–Everisto M.

Bibliografía

1. *https://www.bloomberg.com/news/articles/2016-09-29/u-s-health-care-system-ranks-as-one-of-the-least-efficient*

2. Go AS, Mozaffarian D, Roger VL, Benjamin EJ, Berry JD, Borden WB, Bravata DM, Dai S, Ford ES, Fox CS, Franco S, Fullerton HJ, Gillespie C, Hailpern SM, Heit JA, Howard VJ, Huffman MD, Kissela BM, Kittner SJ, Lackland DT, Lichtman JH, Lisabeth LD, Magid D, Marcus GM, Marelli A, Matchar DB, McGuire DK, Mohler ER, Moy CS, Mussolino ME, Nichol G, Paynter NP, Schreiner PJ, Sorlie PD, Stein J, Turan TN, Virani SS, Wong ND, Woo D, Turner MB; on behalf of the American Heart Association Statistics Committee and Stroke Statistics Subcommittee. Heart disease and stroke statistics—2013 update: a report from the American Heart Association. Circulation. 2013;127:e6- e245.

3. *https://www.niddk.nih.gov/health-information/health-statistics/over-weight-obesity.*

4. Masters, Ryan, PhD. News. Columbia University Mailman School of Public Health. "Obesity Kills More Americans Than Previously Thought". N.p., 15 Aug. 2013.
   https://en.wikipedia.org/wiki/Sugar_Blues page 22
   https://www.dhhs.nh.gov/dphs/nhp/documents/sugar.p

df

5. Mozzafarian D, Benjamin EJ, Go AS, et al. on behalf of the American Heart Association Statistics Committee and Stroke Statistics Subcommittee. Heart disease and stroke statistics—2016 update: a report from the American Heart Association. Circulation. 2016;133:e38-e360.

6. Mozzafarian D, Benjamin EJ, Go AS, et al. on behalf of the American Heart Association Statistics Committee and Stroke Statistics Subcommittee. Heart disease and stroke statistics—2016 update: a report from the American Heart Association. Circulation. 2016;133:e38-e360.

7. Stroke Statistics." Centers for Disease Control and Prevention.
   <https://www.cdc.gov/stroke/facts.htm>

8. High Blood Pressure Facts. Centers for Disease Control and Prevention.
   <https://www.cdc.gov/bloodpressure/facts.htm>

9. American Cancer Society. Cancer Facts & Figures 2013. Atlanta: American Cancer Society; 2013.

10. "Osteoporosis." NIHSeniorHealth.
    https://www.cdc.gov/features/diabetesfactsheet

11. "Diabetes Statistics." Diabetes Basics. American Diabetes Association, 2013.

12. Ricardo Alonso-Zaldivar, Associated Press July 13, 2016.
    https://www.bloomberg.com/news/articles/2016-09-

29/u-s-health-care-system-ranks-as-one-of-the-least-efficient)

http://gaia.adage.com/images/bin/pdf/KantarHCwhitepaper_complete.pdf

13. "News Release." USDA Celebrates National Farmers Market Week, Au-gust 4-10. United States Department of Agriculture, 5 Aug. 2013. Web. 02 Aug. 2015.

http://www.usda.gov/wps/portal/usda/usdahome?contentid=2013%2F08%2F0155.xml

14. "Office of Public and Intergovernmental Affairs." News Releases -. VA Office of Public and Intergovernmental Affairs, 25 Feb. 2014. Web. 02 Aug. 2015.

<http://www.va.gov/opa/pressrel/pressrelease.cfm?id=2529>.

15. "The Use of Complementary and Alternative Medicine in the United States." <https://nccih.nih.gov/research/statistics/2007/camsurvey_fs1.htm>

16. "Most U.S. Adults Take Dietary Supplements, According to New Survey." 2015 CRN CONSUMER SURVEY ON DIETARY SUPPLEMENTS.

http://www.cr-nusa.org/CRNconsumersurvey/2015/.
http://www.drperlmutter.com/about/grain-brain-by-david-perlmutter

17. MedlinePlus (June 7, 2012). U.S. National Library of Medicine. Medline Plus Trusted Health Information for You. Beta-carotene. Retrieved

from

www.n-lm.nih.gov/
medlineplus/druginfo/natural/999.html.

18. LL Magnetic Clay Inc. (1996-2010). Ancient Minerals: Need More Magne-sium? 10 Signs to Watch For. Retrieved from:
www.ancient-minerals.com/mag-nesium- deficiency/need-more/.

19. WebMD. (2005–2012). Weight Loss & Diet Plans. Top 10 Iron-Rich Foods. Retrieved from:
www.webmd.com/diet/ features/top-10-iron-rich-foods.
https://www.rebuildermedical.com

20. "Why Use VibePlate for Vibration Therapy, Vibration Training, & Vibration Exercise." N.p., n.d. Web. 26 July 2015.
<http://www.vibeplate.net/why-vibe-plate>.

21. Ferreira, Leonor Mateus. "Chiropractic Care May Help Control Peripheral Neuropathy in Diabetics." Diabetes News Journal. N.p., 16 Mar. 2015. Web. 27 July 2015.
<http://diabetesnewsjournal.com/2015/03/17/chirop ractic-care-may-help-control-peripheral-neuropathy-in-diabetics/>.

Dr. Brian Prax's Credentialing abbreviations

DC: Doctor of Chiropractic (Licensiado, 1996 de Life Chiropractic College West).

BCIM : (Board Certified in Integrative Medicine by the American Association of Integrative Medicine).

CCSP : (Certified Chiropractic Sports Practitioner by American Chiropractic Board of Sports Physicians)

CAFNI : (Certified by the American Functional Neurology Institute)

Made in United States
Troutdale, OR
07/24/2023

11527857R00105